CH00802679

LE SECRET DE
FORT BOYARD

ALAIN SURGET

Illustrations de Jean-Luc Serrano

LE SECRET DE
FORT BOYARD

RAGEOT

Cet ouvrage a été imprimé sur un papier
issu de forêts gérées durablement,
de sources contrôlées.

Couverture et illustrations : Jean-Luc Serrano.

ISBN 978-2-7002-5467-9
ISSN 1951-5758

Aux abords de l'île d'Oléron,
au début de l'été.

Des voix à Fort Boyard

Damien sort les rames de l'eau et laisse filer la barque jusqu'au quai de Fort Boyard. Son frère Jérôme saute sur le débarcadère, attrape l'amarre que lui jette Émilie, sa sœur jumelle, et la fixe à un anneau scellé dans la pierre.

– Mathias va être content de nous revoir ! s'exclame-t-elle en montant sur le quai, un paquet de gâteaux à la main.

Damien les rejoint devant la porte et empoigne le lourd heurtoir en bronze.

Il frappe trois coups. Les sons se répercutent dans la forteresse comme s'il s'agissait de tirs de canon.

Rien ne bouge dans le Fort.

Damien soupire.

– Mathias dort ou quoi? Je suis juste venu vous déposer, mais je veux être sûr, avant de repartir, qu'il est bien là. Je ne tiens pas à ce que vous restiez devant la porte jusqu'à ce soir.

– Il est peut-être dans le laboratoire, suggère Émilie. Laisse-lui le temps de remonter des souterrains.

Ils patientent encore. Damien empoigne à nouveau le heurtoir et frappe trois coups.

– C'est bizarre, les chiens n'aboient pas, s'étonne Jérôme.

– Ils sont sans doute dans les galeries avec Mathias, suppose sa sœur.

Jérôme se recule légèrement et scrute le sommet des remparts dans l'espoir de voir apparaître leur ami.

– Ah, enfin ! souffle-t-il lorsqu'une silhouette se découpe à contre-jour au sommet de la muraille.

Tous trois lèvent la tête et clignent des yeux, aveuglés par l'éclat du soleil.

– C'est nous, Mathias ! crie Émilie. Viens nous ouvrir !

La silhouette se penche, puis elle se redresse et disparaît.

– Il n'a pas répondu, remarque Damien. Ça ne lui ressemble pas. Qu'est-ce qui se passe encore dans ce Fort ?

Les jumeaux et leur grand frère piétinent à l'entrée. Trop longtemps.

– Mais qu'est-ce qu'il fabrique ? s'énerve Damien. Combien de temps lui faut-il pour descendre du chemin de ronde ?

– Il enferme sans doute ses chiens, rétorque sa sœur. Cela vaut mieux. Depuis qu'oncle Blaise a pratiqué des expériences sur eux, ce sont des chiens mutants aussi urticants que des méduses[1].

1. Voir *Les monstres de Fort Boyard*, dans la même série.

11

Damien regarde sa montre.

– Je vais être en retard. J'ai rendez-vous à l'embouchure du chenal de la Perrotine avec mes copains dans une demi-heure.

– Ils attendront, le rassure Émilie. Ah, j'entends du bruit. Mathias arrive.

Ils perçoivent en effet des sons provenant de derrière la porte mais, curieusement, ils les assimilent à une discussion à mots étouffés.

– Mathias n'est pas seul ? lâche Émilie, surprise.

– Tu le connais, souligne Jérôme. Il doit parler à son chat Gédéon. Ou à lui-même.

La lourde porte tourne enfin sur ses gonds. Mathias se tient sur le seuil. L'air un peu hagard, il oublie de sourire.

– Bons amis, bons amis, articule-t-il d'une voix saccadée.

Campé devant l'entrée, il ne s'efface pas pour leur céder le passage

– Qu'est-ce qui se passe ? l'interroge Émilie. Tu n'es pas content de nous voir ?

– Si, si, répond le Quasimodo, mal à l'aise.

– Ça ne va pas ? lui demande Damien. Tu as l'air bizarre. On dirait que tu n'as pas dormi de la nuit.

– Mathias a mal à la tête. Mathias entend les voix d'oncle Blaise et de tante Médusa.

Les jumeaux échangent un regard perplexe.

– Blaise et Médusa ? s'étonne Jérôme. Mais ils ne sont plus là. La police a fouillé tous les recoins du Fort sans relever la moindre trace des savants fous.

– Et qu'est-ce qu'elles disent, ces voix ? demande Damien.

– Mathias ne comprend pas. Mathias entend juste : « Mathias… Mathias… Mathias… », le reste ressemble au bruit des vagues. Comme quand la mer frappe les rochers.

– Tu devrais aller voir un médecin, conseille Émilie à son ami.

– Non, non, Mathias ne doit pas quitter le Fort.

– Qui t'en empêche ? s'enquiert-elle. Tu vas bien au marché de Boyardville.

Le Quasimodo secoue la tête.

– Mathias doit protéger Gédéon, Chienchien, Cabot, Clébard et Toutou.

– À propos, où sont-ils ? On ne les a pas entendus aboyer.

– Les chiens... dorment, explique Mathias après une hésitation.

– C'est étrange qu'on ne les ait pas réveillés en frappant à la porte, déclare Jérôme.

– Et Gédéon... Gédéon... réfléchit Mathias avec effort. Euh... problème, problème, ajoute-t-il.

– Tes chiens sont malades ? s'inquiète Émilie. Tu dois les protéger de quoi ? Qu'est-ce qui te retient au Fort ? Nous pouvons t'aider, tu sais.

En guise de réponse, Mathias se tord les doigts, le visage barré par une grimace de désespoir.

– On peut les voir ? insiste Émilie.

– Non, non. Gédéon, Toutou, Chienchien, Cabot et Clébard vont bien, assure le Quasimodo. Les bons amis de Mathias se font du souci pour rien. Pour rien, vraiment, krrr, krrr, krrr.

Mais son rire sonne faux.

– Bon, soupire Damien, je pense qu'il vaut mieux que je vous ramène à la maison. Mathias n'est pas en état de vous supporter tout l'après-midi.

Mathias s'apprête à refermer la porte d'un air désolé quand Émilie lui offre la boîte qu'elle tient à la main.

– C'est pour toi, dit-elle. Les gâteaux que tu préfères.

Mathias hésite, puis il accepte le cadeau, des larmes de reconnaissance au coin des yeux. Tout à coup, il se met à gémir et donne des petits coups de tête sur la porte.

– Aïe, aïe, aïe, les mots battent dans le crâne de Mathias. Les voix appellent Mathias, les voix font mal, mal, mal.

– Va t'allonger, lui recommande Jérôme. Dormir te fera du bien. Nous t'apporterons des médicaments demain.

– Au revoir Mat... commence Émilie.

La porte claque, tranchant le mot.

– Il vaut mieux le laisser se reposer, constate Damien. Allez, on rentre ! lance-t-il aux jumeaux. Je suis déjà en retard.

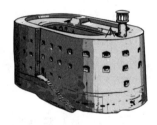

Mathias est remonté sur le chemin de ronde d'où il suit le départ de ses amis.

– Mathias est désolé, désolé, répète-t-il.

Il ferme les yeux. Calmée un court instant, la douleur l'assaille à nouveau. Une douleur rouge, lancinante, qui martèle son nom à l'infini.

« Mathias... Mathias... Mathias... »

Dans le bassin souterrain où Blaise et Médusa ont disparu, pulvérisés, les multiples particules des deux savants se sont regroupées, nouées, tressées en un long ruban semblable à un serpent rouge. Depuis peu, elles sont suffisamment fortes pour envoyer des ondes. Une communication extrasensorielle traverse les murs de Fort Boyard et taraude le cerveau du Quasimodo.

« Mathias… Mathias… Mathias… »

Un reportage

Au même instant, à Rochefort, cinq personnes sont attablées à la terrasse d'un café. Toutes arborent un badge figurant un losange clair entouré d'un œil de caméra. Ce sont des journalistes et techniciens de Ciné-Europa, une société de coproduction étrangère dont le but est de retracer l'histoire de bâtiments chargés de mystères.

Ainsi, après avoir réalisé une émission sur un château maudit des Carpates, et une autre sur la Tour de Londres, l'équipe européenne a annoncé que son prochain reportage concernerait Fort Boyard, une forteresse ayant servi de cadre à des affaires particulièrement étranges[1].

– Nous attendons encore trois membres de l'équipe, déclare une scripte irlandaise. Ils devraient arriver à la gare vers 16 heures.

– Et demain, nous envahissons Fort Boyard, lance un cameraman à l'accent belge.

Le réalisateur, Leif Thorson, un grand Suédois à la carrure athlétique, repose sa tasse de café.

– Invasion est le mot juste, appuie-t-il. Je veux que vous filmiez chaque pierre et que vous extirpiez tous les secrets des galeries souterraines, ajoute-t-il. Traquez les détails, surtout dans le laboratoire de ce savant fou.

1. Voir les trois tomes précédents.

Avec sa sœur, il avait l'intention de transformer l'humanité en méduses et en crevettes pour revenir au silence originel. J'attends plus de deux cents millions de téléspectateurs vissés devant leur écran quand Ciné-Europa diffusera ce reportage.

– Dis-moi, Leif, c'est toujours Georgia qui s'occupe d'écrire les commentaires ? lui demande l'Irlandaise.

– Oui, comme d'habitude. Georgia a une plume à faire pâlir nombre d'écrivains. Je l'ai eue au téléphone hier. Elle compte se rendre à Fort Boyard dès demain matin, en espérant que le Quasimodo lui ouvrira.

– Le temps de chercher l'autorisation de pénétrer dans le Fort puis de préparer notre matériel, nous n'y serons pas avant le début de l'après-midi, précise le cameraman belge.

– Tu connais Georgia, lâche le preneur de son italien. Elle veut voir les lieux avant tout le monde afin de s'imprégner de l'atmosphère qui y règne. Elle nous attendra là-bas.

– Cela forge ses mots, comme elle aime à le répéter, se moque gentiment l'assistante française de Leif. J'espère simplement qu'elle ne ratera pas son train au départ de Paris. C'est aussi une de ses habitudes.

L'équipe sourit. L'Italien hèle une serveuse et commande de nouveaux cafés.

– Pas pour moi, merci, refuse Leif en se levant.

Il dépose deux euros dans une coupelle et ajoute :

– Je vais me promener dans le Jardin de la Marine. Il paraît que l'on trouve d'excellents caramels au beurre salé à la Corderie qui est tout près. Je vous en rapporterai. N'oubliez surtout pas notre réunion à 17 heures. C'est important. Je n'excuserai aucun retard.

– Pas de problème, le rassure l'Italien. Nous sommes la ponctualité même.

Embusquée derrière l'angle d'une maison, une silhouette se détache du mur et emboîte le pas au réalisateur.

Peu après, mâchonnant un caramel, Leif Thorson longe le Jardin de la Marine. Sa promenade le conduit devant une forme de radoub[1] dans laquelle a été construite *L'Hermione*, une réplique de la frégate qui a transporté La Fayette en Amérique en 1780. Après presque vingt ans de travaux, le trois-mâts a quitté le bassin pour traverser l'Atlantique en direction des États-Unis, à l'image de son illustre modèle.

À présent, le bassin est vide, bordé d'un côté par des entrepôts, et de l'autre par une allée ouvrant sur des jardins plantés de tilleuls.

1. Bassin en forme de coquille utilisé pour la réparation navale.

Le Suédois décide d'arpenter le quai le long des bâtiments. Il se dirige vers la monumentale Porte du Soleil quand une ombre le rattrape. Il s'attend à la voir le dépasser, mais elle reste accolée à la sienne. Intrigué, il se retourne vers l'inconnu qui le suit de si près.

– Excusez-moi, lance l'individu, mais vous ne seriez pas un des membres de Ciné-Europa? Je vous ai vu à la télévision. Alors, votre prochaine émission portera sur Fort Boyard?

– Vous êtes? l'interroge Leif Thorson en fronçant les sourcils.

– Appelez-moi professeur Historius, répond l'autre. Sans vouloir me vanter, je connais tout sur Fort Boyard. De sa construction, en 1804, jusqu'aux derniers événements qui l'ont marqué avec cette affaire de savants fous. Réduire l'humanité en nourriture de baleine, quelle aberration, vraiment!

Leif ne dit rien. Il marche à pas lents devant les entrepôts, l'homme à sa gauche. Celui-ci continue à parler du Fort, de son rôle de prison après la révolte parisienne de 1871.

– Je sais tout cela, monsieur, je sais tout cela, soupire le réalisateur qui cherche à se débarrasser de l'individu. Tenez, dit-il en lui présentant son paquet de caramels, prenez donc un caramel, ils sont…

Il n'achève pas, les yeux rivés sur l'aiguille brusquement enfoncée dans son avant-bras. Hébété, il laisse tomber son sachet, regarde l'autre retirer sa seringue et la fourrer dans sa poche.

– Qu'est-ce que…

Il veut réagir mais sent sa volonté lui échapper. Le professeur Historius l'em-poigne alors par le bras et, après un coup d'œil circulaire pour s'assurer que personne ne leur prête attention, il le conduit vers un hangar.

– Laissez-moi… laissez-m… balbutie Leif, incapable de résister.

Une fois dans le bâtiment, il s'effondre sur les genoux.

– Qu'est-ce que vous… a-t-il encore la force de bredouiller.

Son esprit s'embrume, ses pensées s'effilochent, tout s'assombrit et il n'a plus conscience de rien. Leif s'écroule, noyé dans un abîme de ténèbres.

– Et de un ! souffle le professeur Historius en le saisissant sous les aisselles pour le traîner derrière des fûts. Je viendrai le chercher cette nuit. On ne le retrouvera pas de sitôt.

Inquiétante disparition

Le même soir, alors que les jumeaux lisent des BD dans leurs chambres respectives, à l'étage, la voix de leur mère retentit dans la cage d'escalier.

– Émilie ! Jérôme ! Il est question de Fort Boyard aux infos !

– On parle de Mathias ? lance le garçon.

– Un membre de l'équipe qui devait réaliser un reportage sur le Fort a disparu.

Deux portes claquent en même temps. Émilie et Jérôme dévalent les marches et se ruent dans le salon.

Le présentateur achève d'énumérer les titres des différents événements puis lance :

– Oui, c'est une bien mystérieuse disparition qui affecte l'équipe de Ciné-Europa. Celle-ci s'apprêtait à tourner une émission sur Fort Boyard, mais Leif Thorson, le réalisateur, n'a plus donné signe de vie après être allé se promener du côté du radoub de *L'Hermione*.

Un reporter apparaît à l'écran, entouré par les membres de l'équipe.

– Il ne restait de Leif Thorson qu'un paquet de caramels devant la porte d'un entrepôt. Les gendarmes ont fouillé les lieux mais n'ont retrouvé aucune trace de l'homme.

Il se tourne vers l'Irlandaise et l'interroge.

– Le comportement de votre collègue laissait-il présager un désistement? Montrait-il des signes de lassitude, de dépression, qui pourraient expliquer sa disparition?

– Pas du tout, répond la jeune femme. Il était en pleine forme, ravi de plonger dans les mystères du Fort. C'est un enlèvement, c'est sûr!

– Vous vous avancez sans preuves, la tempère le journaliste.

– Leif nous avait donné rendez-vous à l'hôtel à 17 heures, précise le preneur de son italien. Il n'est jamais en retard. C'est après deux heures d'attente que, ne le voyant pas arriver, nous avons alerté la gendarmerie.

– La gendarmerie envisage-t-elle un enlèvement?

– Elle n'exclut aucune piste, déclare le cameraman belge.

Jérôme pousse Émilie du coude.

– Tu as vu leur badge?

Sa sœur se contente d'un hochement de tête affirmatif.

– Cette disparition va-t-elle annuler le reportage sur Fort Boyard? s'enquiert le reporter.

– Non, répond Georgia. Nous sommes amputés d'un membre important de l'équipe, mais nous pouvons commencer à travailler. D'ailleurs, je me rendrai au Fort demain matin pour me nourrir des premières impressions. Il doit régner là-bas une atmosphère étrange, voire le fantôme des deux savants fous.

– Génial! s'écrie Émilie. On va la rencontrer quand on ira voir Mathias.

– Les gendarmes ne les ont jamais retrouvés, poursuit la journaliste grecque. Qui sait s'ils ne se cachent pas dans quelque niche secrète, au fond d'un souterrain, d'où ils préparent leur retour?

Le père des jumeaux murmure :

– J'espère bien que non! Ils nous ont causé assez d'ennuis!

Le reporter conclut en indiquant que la gendarmerie entame une enquête difficile.

Le lendemain matin, Damien rame de toutes ses forces, la proue de sa barque pointée sur Fort Boyard. Jérôme et Émilie scrutent les abords de l'immense vaisseau de pierre, à la recherche d'un canot déjà amarré.

– Je ne vois rien, dit le garçon. Georgia n'est pas encore arrivée.

– On ne l'attendra pas, les avertit Damien. Je n'ai pas l'intention de passer ma matinée au Fort.

Ni Jérôme ni Émilie ne répliquent. L'éclat de l'eau est aveuglant. Les voiles des véli-planchistes fendent les flots tels des ailerons géants, et quelques sportifs étirent de longs sillons d'argent derrière leurs skis nautiques. Tout à coup !

– Hé ! s'écrie Damien. Ce Zodiac fonce sur nous !

Jailli de la lumière éblouissante, un bolide arrive droit sur eux, passe à quelques brasses de leur barque et poursuit sa route vers le Fort. Les jumeaux se cramponnent au plat-bord pendant que la barque est ballottée par le roulis.

– Il a failli nous faire chavirer! crie Damien.

– C'est Georgia, dit Jérôme. Son bateau ralentit pour aborder Fort Boyard.

Une journaliste déterminée

Clank! Clank! Clank! sonne le heurtoir de bronze pour la énième fois quand la barque se range flanc à flanc avec le Zodiac. Debout devant la porte de Fort Boyard, Georgia se demande si Mathias va se décider à venir ouvrir.

Rouge de colère, Damien s'apprête à apostropher la journaliste, mais Jérôme et Émilie le retiennent. La jeune femme les regarde monter sur le débarcadère et les accueille avec un sourire un peu crispé.

– Oh, c'est vous que j'ai fait danser sur l'eau tout à l'heure. Je suis désolée. Je m'appelle Georgia et je fais partie de l'équipe de Ciné-Europa.

– On vous connaît, on vous a vue hier soir à la télé. Moi, c'est Jérôme, dit le garçon. Voici ma sœur, Émilie, et notre grand frère Damien. Nous sommes les amis de Mathias et venons lui apporter des…

– Des médicaments. Mathias est malade, il ne pourra sans doute pas vous recevoir, précise Damien avec une petite pointe de vengeance dans la voix.

– Oh, lâche Georgia, visiblement déçue.

Elle se reprend aussitôt.

– Mon équipe arrive cet après-midi, mais nous n'avons pas besoin de Mathias pour procéder à une première visite des lieux. Nous l'interviewerons plus tard.

Georgia empoigne le heurtoir, mais la porte s'entrebâille sur Mathias à l'instant où le marteau la frappe.

– Ooohhh ! gémit-il. Le bruit fait mal à la tête.

– Ça ne va pas ? s'inquiète Émilie.

Mathias salue ses amis puis son regard se pose sur la jeune femme.

– Mathias ne connaît pas la nouvelle venue, souffle-t-il.

Georgia se présente. Le Quasimodo l'écoute – l'air intéressé – mais il refuse de la laisser entrer.

– Nous ne restons pas, dit Damien. Nous venions juste t'apporter des médicaments.

– Attends, proteste Émilie, ne sois pas si pressé. Georgia va peut-être nous interviewer, nous aussi.

– À quel propos ? s'étonne celle-ci.

– C'est nous qui avons affronté Blaise et Médusa, explique Jérôme. Nous étions leurs prisonniers et nous avons vécu de terribles aventures à Fort Boyard.

La journaliste les dévisage, incrédule, ne sachant s'ils disent vrai ou s'ils cherchent simplement à se rendre intéressants.

– Damien, Jérôme et Émilie sont les bons amis de Mathias, confirme le Quasimodo. Mathias va avaler les cachets, oui, oui, et chasser les mots de la tête de Mathias. Merci, merci !

– Et tes chiens ? lui demande Jérôme. Comment vont-ils ?

Le visage de Mathias se barre d'une expression douloureuse.

– Laissez-moi entrer, insiste Georgia. Je voudrais prendre la température du Fort avant de commencer le reportage.

– Prendre la température ? répète Mathias, éberlué. Le Fort n'est pas malade. C'est la tête de Mathias qui résonne comme si un oiseau fou donnait des coups de bec dedans. Mathias est malade, pas le Fort, non, non.

– C'est une façon de parler, sourit Georgia. Quant à vous deux, ne partez pas, ajoute-t-elle à l'adresse des jumeaux. J'ai des questions à vous poser. Vous aurez une place de choix dans mon émission.

Les yeux des jumeaux se mettent à briller tandis qu'elle se tourne vers Damien.

– Je ramènerai Jérôme et Émilie dans mon Zodiac. Et je conduirai doucement, complète-t-elle d'un ton contrit.

Damien regarde tour à tour son frère et sa sœur. D'une imperceptible inclinaison de la tête, ils lui font comprendre qu'il peut s'en aller.

Cependant, campé devant la porte, Mathias bloque toujours l'accès au Fort.

– Mathias ne peut pas laisser entrer ses bons amis, se désole-t-il. Mathias ne peut pas…

– Pourquoi ? Tu as cassé quelque chose dans le laboratoire ? Blaise et Médusa sont revenus ?

À ce moment, un miaulement éclate derrière lui. Mathias se retourne d'un bloc.

– Gédéon ! s'exclame-t-il d'une voix joyeuse. Gédéon a échappé à…

Il prend un air coupable, appuie l'index sur sa bouche, puis reprend :

– Viens dans les bras de Mathias, viens, viens !

Mais le chat détale. Le Quasimodo s'élance aussitôt derrière lui.

– Échappé à quoi ? À qui ? s'étonne Émilie.

Mathias n'ayant pas refermé la porte, Georgia pénètre dans Fort Boyard, entraînant les jumeaux derrière elle. Damien, lui, s'éloigne déjà à forts coups de rames.

Jérôme marche soudain sur un petit objet. Il le ramasse. Et le glisse dans sa poche.

– J'ai l'impression d'avancer dans un livre dont chaque page recèle un secret, murmure Georgia en s'engageant dans une coursive.

Des hurlements s'élèvent tout à coup, sortis des entrailles de pierre. Tous se figent. Mathias pivote sur ses talons et découvre les intrus à l'intérieur de la forteresse. Délaissant Gédéon, il se précipite vers eux en agitant les bras.

– Problème, problème, les bons amis de Mathias ne doivent pas entrer. Non, non !

Sa course est brutalement interrompue comme s'il avait été frappé par la foudre. Il se casse en deux et porte les mains à ses tempes.

– Aïe, aïe, aïe, les mots sont revenus. Les mots tapent dans la tête de Mathias. Partez ! Partez ! Mathias a trop mal.

Georgia l'observe, l'air surprise.

– Il simule. C'est un stratagème pour nous mettre dehors.

– Pas sûr, dit Émilie. Il vaut mieux partir et le laisser se reposer. À bientôt, Mathias. Soigne-toi bien !

Ils rebroussent chemin, le Quasimodo galopant derrière eux. À peine ont-ils franchi le seuil qu'il claque la lourde porte dans leur dos.

— Je reviendrai plus tard avec mon équipe, décrète la journaliste. Et si Mathias refuse de nous ouvrir, nous grimperons par là, signale-t-elle en désignant le mur d'escalade qui atteint la première rangée de fenêtres. Vous avez l'air soucieux, les enfants, remarque-t-elle en les invitant à monter dans le Zodiac.

— Ces hurlements venaient des chiens. Je me demande ce qui se passe, murmure Jérôme.

— Un mystère se cache entre ces murs, répond Émilie. J'en suis certaine.

Par le passage secret

Deux heures plus tard, à la terrasse d'un café en face du port, Émilie et Jérôme terminent leur jus de fruits pendant que Georgia relit les notes qu'elle vient de prendre.

– Vous avez vraiment vécu des aventures extraordinaires, s'enthousiasme-t-elle. Je demanderai à vos parents l'autorisation de vous intégrer à notre reportage.

– N'oubliez pas Mathias, rappelle Émilie. Il est le cœur vivant de Fort Boyard.

– Sa participation à l'émission n'est pas gagnée, soupire la jeune femme. Il n'a même pas voulu nous laisser entrer dans le Fort.

– C'est étonnant, dit Jérôme. D'habitude, il est tout excité à l'idée de passer à la télé.

– Quand il sera guéri, Mathias vous ouvrira les portes, assure sa sœur. Mais...

Elle hésite à terminer sa phrase.

– Mais quoi? l'encourage Georgia.

– Mais quelque chose le retient, poursuit Émilie. On dirait qu'il a peur.

– C'est vrai, confirme son frère. Et puis où sont passés ses chiens? Ils nous faisaient fête dès que nous arrivions...

– Et Gédéon? renchérit Émilie. D'où s'était-il échappé? Mathias paraissait aussi heureux de le voir que s'il avait été séparé de lui depuis plusieurs jours.

En silence, tous trois regardent les bateaux qui entrent et sortent du port. Georgia exhale un profond soupir et déclare :

– S'il y a un secret à Fort Boyard, nous le découvrirons. Nous n'oublierons aucune galerie, aucun recoin. Nous passerons le laboratoire au peigne fin. Quand nous quitterons le Fort, chaque pierre nous aura livré son histoire.

– Vous comptez vraiment escalader le mur si Mathias refuse d'ouvrir ? questionne Jérôme.

– Nous pourrions attendre que les autorités locales interviennent, répond Georgia, mais cela risque de nous retarder.

– Notre grand frère a déjà emprunté le mur d'escalade, rapporte Émilie, seulement je crois que depuis, Blaise a condamné la fenêtre.

– Alors vous devrez camper devant la porte jusqu'à l'arrivée des gendarmes.

La remarque de Jérôme fait sourire Georgia.

– Il existe un autre passage, confie-t-elle. Je l'ai découvert en fouillant dans des archives datant de Napoléon III. Un tunnel relie la mer à l'intérieur du Fort. Il se trouve à la verticale de la Tour de Verre. Invisible de la côte, il n'est praticable qu'à marée basse.

On pense qu'il a été creusé par des prisonniers qui cherchaient à s'évader à l'époque
où Fort Boyard était une prison. Il donne sur
une caverne aménagée dans les fondations.
Nous entrerons par le tunnel si Mathias ne
nous ouvre pas la porte et si la fenêtre sous le
mur d'escalade est condamnée.

Les jumeaux hochent la tête. Apparem-
ment, rien n'empêchera l'équipe de Ciné-
Europa de réaliser son reportage.

– Au fait, lâche Jérôme, vous avez des
nouvelles de votre réalisateur ?

Un voile trouble le regard de Georgia.

– Hélas non. La gendarmerie enquête.
Personne ne comprend ce qui s'est passé.

– Il va falloir qu'on rentre, annonce Émilie
en se levant. Nos parents nous attendent.

– J'ai vos coordonnées. Je vous recontac-
terai plus tard.

Pendant que les jumeaux s'éloignent, la jeune femme sort son portable, appelle son équipe, lui signale qu'elle se trouve à Boyardville et lui demande de la rejoindre au port avant de se rendre au Fort.

Georgia s'accorde un repas léger puis décide d'aller se promener le long du chenal de la Perrotine. Installés sur le quai, des pêcheurs surveillent leur ligne, attentifs à ce que l'hameçon ne se prenne pas dans les embarcations des plaisanciers qui s'offrent une sortie en mer.

La jeune femme s'arrête devant une crêperie. La silhouette qui la suit depuis le port se range alors dans une ruelle et patiente. Lorsque Georgia reprend son chemin, une crêpe au sirop d'érable à la main, une ombre vient s'accrocher à la sienne. Comme elle tarde à s'en détacher...

– Vous avez l'intention de me suivre encore longtemps ? attaque Georgia en faisant volte-face.

L'homme s'excuse, bienveillant.

– Vous faites partie de l'équipe de Ciné-Europa, non ? Je vous reconnais pour vous avoir vue, hier, au journal de 20 heures. Quelle effroyable histoire, cet enlèvement !

– La gendarmerie évoque pour l'instant une disparition, spécifie-t-elle. Si vous disposez d'informations supplémentaires, le lieutenant chargé de l'affaire sera ravi de vous entendre.

– Non, non, l'interrompt l'inconnu. Mes connaissances ne portent que sur Fort Boyard. Des connaissances très en profondeur, lance-t-il en baissant la voix et en se composant un air mystérieux.

Georgia termine sa crêpe, s'essuie les doigts à un mouchoir et demande :

– Puis-je savoir qui vous êtes, monsieur ?

– On me surnomme Professeur Historius. J'ai levé le voile sur tous les secrets et légendes de Fort Boyard, je peux vous en parler pendant des heures.

Georgia réfléchit. L'homme est peut-être un fabulateur, mais tout ce qui touche au Fort l'intéresse et elle a encore du temps devant elle avant l'arrivée de l'équipe.

– Allons nous asseoir à l'ombre d'une tonnelle, propose-t-elle.

– Je préfère marcher, si cela ne vous fait rien.

Ils continuent donc à avancer. Georgia se laisse guider par le professeur Historius, savourant les anecdotes qu'il lui relate. Ils s'engagent dans une ruelle déserte, bordée par de vieilles maisons à la façade décrépite.

– Je ne veux pas trop m'éloigner du port, le prévient la jeune femme. Mes coéquipiers viennent me chercher dans…

Elle lève son poignet pour consulter sa montre, demeure interdite, les yeux fixés sur l'aiguille plantée dans son avant-bras.

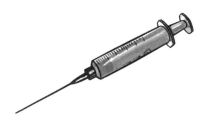

– Je... je rêve... je... je...

L'homme retire l'aiguille, range la seringue dans sa poche, et la saisit par la taille pour l'empêcher de tomber. Georgia tente de se débattre, son corps ne lui obéit plus. Elle veut crier mais ses mots sont devenus des cailloux lourds qui n'ont plus la force de franchir ses lèvres. Hébétée, elle se laisse conduire dans une cour intérieure entre des murs aveugles, encombrée de bacs à ordures. Là, elle s'effondre. Le professeur Historius la tire sur le sol. Il soulève le couvercle d'une des poubelles, la hisse sur ses épaules et la fait basculer à l'intérieur.

– Dors bien, lui dit-il. Je reviendrai te chercher plus tard.

À l'aide d'une petite perceuse électrique, il fore un trou dans le couvercle et dans la benne, y insère ensuite l'arceau d'un cadenas.

– Et voilà ! se félicite-t-il. Personne n'ira chercher une journaliste là-dedans. J'espère que ces deux disparitions vont tenir l'équipe de Ciné-Europa à distance du Fort.

Un indice

Le jour même, au journal de 20 heures, Émilie et Jérôme apprennent, stupéfaits, la disparition de Georgia.

– Incroyable, souffle Émilie en s'installant sur le canapé. Nous lui avons parlé ce matin. Elle attendait l'arrivée de son équipe.

– Elle n'était pas au rendez-vous, précise son père en montant le son. C'est pourquoi ils ont prévenu la gendarmerie. Des passants l'ont vue se promener avec un homme quai de la Perrotine, et puis plus rien. L'homme a disparu, lui aussi.

Il se tait pour laisser la parole au présentateur :

– Aucune trace, aucun indice, des témoignages contradictoires concernant l'homme qui marchait à ses côtés sont autant de freins à l'enquête.

Jérôme se tortille sur le canapé.

– Vous croyez qu'on devrait aller raconter aux gendarmes qu'on a discuté avec Georgia ? demande-t-il à ses parents.

– Cela n'a aucun rapport avec sa disparition, relève Damien. Elle était encore en vie quand vous l'avez quittée, non ?

– Évidemment ! rétorque sa sœur avec un haussement d'épaules.

– D'après les informations, elle a parlé à d'autres personnes, signale sa mère. Au serveur pour payer les consommations. À la vendeuse de crêpes. Et puis à cet homme. Votre témoignage ne servirait à rien.

– Chut ! Le lieutenant de gendarmerie est à l'antenne, l'arrête Damien.

Plusieurs micros s'agitent sous le nez de l'officier qui répond à la question d'un journaliste.

– Oui, il est probable que les deux disparitions soient liées. Nous enquêtions sur la vie privée de Leif Thorson, supposant qu'il pouvait s'agir d'une vengeance. Mais la disparition de Georgia Damoulos – certains évoquent un enlèvement – nous amène à considérer le problème sous un angle différent. En effet, il est possible que ces attaques soient dirigées contre Ciné-Europa. C'est la piste que nous allons privilégier, sans pour autant nous désintéresser de la vie et de l'entourage des deux victimes.

– Cela va-t-il compromettre le reportage sur Fort Boyard? interroge la voix off d'une journaliste.

– Dans l'immédiat, oui, affirme le lieutenant. Considérant qu'il y a un danger pour l'équipe, nous n'autoriserons l'entrée dans le Fort que lorsque l'enquête aura abouti. Mon devoir n'est pas de permettre à tout prix la réalisation d'une émission, mais de protéger les membres de Ciné-Europa.

Comme le présentateur passe au sujet suivant, les jumeaux se réfugient dans la chambre du garçon.

– Tu crois que toute l'équipe va disparaître au fil des jours? commence Jérôme.

– Si quelqu'un cherche à nuire au reportage, c'est à craindre, répond sa sœur.

– Ils ont peut-être découvert un secret en explorant les monuments, et on veut éviter qu'ils poursuivent.

– C'est possible, convient Émilie. Tiens, qu'est-ce que tu as dans ta poche? reprend-elle en désignant le jogging de son frère.

Jérôme plonge la main dans sa poche.

– Ah, je n'y pensais plus, fait-il en extirpant un badge.

Émilie le saisit, l'examine.

– Il porte le logo de Ciné-Europa! Où est-ce que tu l'as trouvé?

– Je l'ai ramassé à Fort Boyard. C'est sûrement Georgia qui l'a perdu. Elle marchait juste devant nous.

– Pourquoi tu ne le lui as pas rendu ?

– Ça me fait un souvenir, se défend son frère. Et puis Georgia en a certainement d'autres.

Émilie affiche soudain un air plein de perplexité.

– Qu'est-ce qu'il y a ? l'interroge Jérôme.

– Je ne crois pas que ce soit Georgia qui ait perdu son badge.

– Pourquoi ?

– Quand on était à la terrasse du café, elle s'est penchée pour prendre son téléphone dans son sac. Un pan de sa veste s'est écarté et j'ai vu son badge sur son chemisier.

– Elle a très bien pu en agrafer un nouveau sur son vêtement quand elle s'est aperçue que le premier avait disparu.

– Hum, je ne l'ai pas vue faire. Et toi ?

– Non plus…

– Pourtant nous sommes restés tout le temps avec elle, ajoute Émilie.

Jérôme regarde le badge que sa sœur tient toujours en main.

– Alors… commence-t-il.

– Alors ça signifie que ce n'est pas le sien.

– Mais comment est-ce possible puisque aucun membre de Ciné-Europa n'est allé au Fort avant elle ?

– À moins que… laisse échapper Émilie.

La remarque flotte dans l'air. Insidieuse. Une seule explication s'impose.

– C'est le badge de Leif Thorson, souffle Jérôme. Le Suédois est au Fort !

– Si Leif est là-bas, Georgia…

Il opine de la tête et achève la phrase d'Émilie.

– … Georgia y est sans doute aussi. Tu crois qu'ils seraient prisonniers ? s'étrangle-t-il. Mais pourquoi ?

Devant le silence de sa sœur, il poursuit :

– Tu penses que Mathias les retiendrait au Fort ? Il faut prévenir les gendarmes.

– Je suis sûre que Mathias n'y est pour rien, mais il est peut-être au courant de quelque chose, ce qui expliquerait son attitude étrange. Il faut retourner le voir. Nous sommes ses seuls amis, il finira par se confier à nous.

– Et s'il s'entête à nous interdire l'entrée, s'il refuse de nous parler ?

– Nous devons découvrir si Leif et Georgia sont réellement détenus au Fort, décrète Émilie.

– Oui, mais comment faire pour…

La question de Jérôme reste inachevée car il vient de trouver la solution.

– Le tunnel, murmure-t-il. Le passage creusé par les prisonniers pour s'enfuir. C'est par là que nous allons entrer.

Il cueille le regard de sa sœur. L'aventure l'effraie, elle aussi, mais il n'y a pas d'autre solution pour découvrir la vérité.

– Bon, nous irons, conclut-il pour s'accorder à la détermination qu'il lit dans les yeux de sa jumelle.

Le lendemain matin, Jérôme et Émilie s'isolent dans une chambre pour consulter le bulletin des marées furtivement emprunté dans le bureau de leur père.

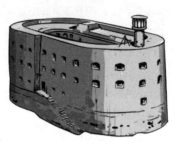

– La mer commence à remonter dans deux heures, constate Émilie. C'est trop tard pour y aller maintenant.

Penché par-dessus son épaule, Jérôme complète :

– On se ferait piéger par la mer dans le boyau.

– Nous devons atteindre Fort Boyard au moment où la marée atteint son plus bas niveau. Il faut donc qu'on quitte la plage des Saumonards une demi-heure avant qu'elle soit étale.

– Hé ho, compte un peu plus large, c'est moi qui rame, réagit son frère. Et puis la barque du voisin qu'on utilise régulièrement est amarrée quai de la Perrotine, pas à l'embarcadère de la plage.

– J'ai pitié de tes petits bras, compatit Émilie. Si on partait en pédalo des Saumonards ?

– Ah, si tu me prêtes la force de tes jambes, alors…

– Si nous arrivons trop tôt, nous ferons le tour du Fort plusieurs fois.

– Mais ça nous oblige à partir en fin d'après-midi, signale Jérôme après avoir jeté un œil sur les horaires des marées. Ne sachant pas combien de temps l'expédition au Fort va durer, qu'est-ce qu'on va dire à nos parents ?

– Tu ne devines pas ? s'étonne Émilie d'une voix malicieuse.

– On leur annonce qu'on est invités chez un de nos amis. Pour l'après-midi... et la soirée, ajoute Jérôme suite à une mimique de sa sœur.

– Et la nuit ! complète-t-elle, prévoyant que leur virée peut comporter des difficultés. Nous emporterons la torche électrique de papa.

Dans les souterrains

La mer étire ses vagues mousseuses sur la plage. Quelques joggeurs courent sur l'estran, imprimant leurs pas sur le sable lisse et brun, mouillé d'écume. Des cavaliers se promènent à la lisière de la forêt des Saumonards, entre les pins maritimes et les dunes.

Assis sur le sable, près de l'embarcadère, Jérôme et Émilie observent l'océan. Il ressemble à une faïence bleue battant mollement contre l'immense vaisseau de pierre qu'est Fort Boyard. Des scooters des mers tracent de grands huit blanchâtres à la surface de l'eau, se faufilant entre les planches à voile et les faisant danser sur la crête des vagues. Chargé de touristes, un bateau de croisière qui revient de l'île d'Aix ralentit en approchant du ponton de bois.

– Les plaisanciers rentrent de leur tour en mer, commente Jérôme en notant que des canots et des pédalos regagnent la rive.

– Oui, on va bientôt pouvoir partir.

Émilie compte encore une dizaine de minutes, puis elle se lève.

– On y va, dit-elle en jetant son sac sur l'épaule.

Lorsque Jérôme indique au loueur que sa sœur et lui désirent emprunter un pédalo jusqu'au lendemain, il leur décoche un regard sévère.

— Je ne pratique pas les tarifs de nuit, déclare-t-il, pensant que les jumeaux se moquent de lui. Pour atteindre l'Amérique, ce n'est pas un pédalo qu'il vous faut !

— Nous allons au Fort, précise Émilie. Notre ami Mathias nous a invités ce soir, mais comme c'est risqué de rentrer de nuit, nous préférons dormir là-bas.

— Ah, le fada de Fort Boyard ! s'exclame le loueur. Qu'est-ce qu'on ne raconte pas sur son compte ! Ouais, je crois bien me souvenir de vous deux, maintenant. Vous n'êtes pas passés à la télé quand on parlait de ce savant fou ? Comment s'appelait-il déjà ? Philémon ? Un nom un peu vieillot...

— Blaise ! corrige Jérôme. Oui, c'est bien nous les aventuriers de Fort Boyard ! ajoute-t-il en se redressant.

— Vous n'êtes pas un peu jeunes pour vous hasarder seuls sur l'eau ?

— Nous avons plus de quatorze ans, ment Émilie avec aplomb.

— Et nous sommes déjà allés plusieurs fois au Fort, complète son frère. Nous savons tenir sur un pédalo. Ce n'est pas le *Titanic* que vous louez, si ?

L'homme rit. Il accepte de leur céder une machine et encaisse la monnaie.

– La mer est d'huile et le Fort n'est pas loin. Surtout, enfilez bien vos gilets de sauvetage, c'est obligatoire. Vous avez un portable, au cas où ? De toute façon, je vous suivrai des yeux jusqu'au Fort.

– Ne vous inquiétez pas pour nous, nous n'allons pas en Amérique, lance Émilie en choisissant un pédalo.

Pareil à une mouette flottant sur l'eau, le pédalo ballotte sur les crêtes à l'approche de Fort Boyard. Après avoir doublé le quai, les jumeaux contournent l'impressionnante forteresse. Ils sont désormais hors de vue de la plage des Saumonards. La mer est au plus bas, les rochers luisent d'humidité et ressemblent à des phoques échoués.

– Là ! indique Jérôme en pointant un doigt vers une brèche à la verticale de la Tour de Verre.

– Il faut vraiment savoir qu'il y a un passage, relève Émilie, on est déjà passés devant plusieurs fois sans le voir.

Ils donnent des petits coups de pédales pour aborder le socle rocheux sans heurt. Jérôme saute sur un rocher, fixe l'amarre autour, puis il tend la main à sa sœur et la tire à lui.

Émilie ouvre son sac, y fourre sa montre ainsi que les gilets de sauvetage et sort la torche électrique.

– À toi l'honneur ! dit-elle en la donnant à son frère. Moi, je m'occupe de porter nos affaires.

Jérôme avance la tête dans la brèche, pas très rassuré. Il allume la lampe, braque le faisceau devant lui.

– Je ne vois pas très loin, ça tourne, annonce-t-il.

Il s'engage dans le tunnel. Il est tout de suite contraint de se baisser puis d'avancer à quatre pattes, sa sœur sur les talons.

Le tunnel est irrégulier, des écailles rocheuses saillent sous la voûte, d'autres tapissent les parois. Les jumeaux s'écorchent les genoux et les mains, se cognent dans les angles et respirent par saccades tant ils se sentent oppressés dans le boyau de pierre.

Une vague un peu plus forte, causée par un hors-bord qui vient de tourner autour du Fort, frappe les rochers, se soulève en gerbe d'embruns et se jette dans l'ouverture.

– Plus vite ! crie Émilie. J'ai les pieds trempés !

– Il y a un deuxième coude, souffle Jérôme. J'espère que ça ne va pas tourner sans arrêt.

Elle le pousse pour l'obliger à se hâter.

– C'est étroit, gémit-il. Attends, je vais m'allonger.

Il avance en se tortillant puis reprend sa progression à quatre pattes, la lampe serrée entre les dents.

– Je ne vois plus rien ! s'écrie sa sœur qui se retrouve dans l'obscurité. Éclaire-moi !

Le ressac de la mer résonne sous la voûte, pareil à des abois furieux. Chaque coup projette des gifles d'eau dans le conduit, submergeant le sol.

– Je vois quelque chose, clame soudain Jérôme, sa lampe tendue devant lui. On dirait une grille.

– Nous atteignons les cellules. Aide-moi, prends le sac !

Jérôme attrape le sac, puis le bras de sa sœur alors qu'elle franchit le coude. Une vague déferle et les éclabousse.

– Le passage semble s'arrêter à quelques mètres, remarque Jérôme comme ils continuent d'avancer.

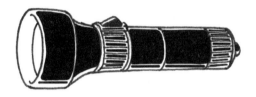

Cependant, au-dehors, le pédalo est secoué par le flux. L'amarre se détend. Après plusieurs assauts des vagues, elle se décroche. Libéré, l'engin cogne à plusieurs reprises contre les rochers avant de tournoyer et de s'éloigner lentement du Fort. L'anfractuosité est à présent invisible, totalement masquée par l'écume bondissante.

– Vite ! halète Émilie. La mer s'engouffre derrière nous.

– La pente grimpe légèrement, la rassure son frère. La voûte est sèche, ajoute-t-il en la tâtant. L'eau ne monte pas si haut. On ne va pas se noyer.

– Mais si la grille est fermée, nous n'aurons plus qu'à attendre la prochaine marée basse pour repartir.

– On aura au moins essayé de savoir ce qui se passe au Fort avant d'aller prévenir les gendarmes.

Le tunnel s'achève brutalement au surplomb d'un bassin. Des lumières rouges jettent une lueur d'enfer sur...

– Ooohhh ! s'écrient les jumeaux en écarquillant les yeux, médusés.

Un mystérieux laboratoire

Un vaste laboratoire s'étend sous leurs yeux.

– Un antre de sorcier, balbutie Jérôme.

– Il est encore plus grand que celui de Blaise, ajoute Émilie.

– Et là-bas, ces appareils, je me demande à quoi ils servent.

Des machines couvrent tout un pan de la paroi jusqu'à la voûte. Elles sont connectées à des câbles et à des tuyaux énormes.

Des fils pendent au plafond, pareils à d'épais fils d'araignée, et se réunissent en faisceaux avant de plonger dans une conduite qui aboutit au bassin où flotte le canot pneumatique de Médusa[1].

– Il doit y avoir une ouverture qui donne sur la mer, suppose Jérôme. Un panneau ou un rocher coulissant. Ce canot n'a pas été amené ici par les souterrains.

– C'est celui des savants fous, non ? suppose Émilie. Blaise et Médusa se cacheraient toujours au Fort ?

Elle se penche pour regarder dans le bassin.

Elle s'écrie :

– Tu crois qu'il y a quelque chose dedans ? Hééé ! Ça glisse !

Déséquilibrée, elle s'agrippe au bras de son frère et l'entraîne dans sa chute. Deux « plouf ! » retentissants se répercutent entre les parois et soulèvent deux énormes geysers. L'eau s'affole et lance des paquets de vagues contre le rebord avant de se refermer sur les jumeaux.

1. Voir *Menace à Fort Boyard*.

Au même moment, dans l'ancien laboratoire de Blaise situé à plusieurs galeries de là, une lumière rouge se met à clignoter sur un panneau couvert de boutons et de manettes. Une sonnerie stridente retentit.

— Holà ! s'exclame un homme à un bureau, consultant différents plans du Fort. Quelque chose s'est déréglé en dessous.

— Ou bien quelqu'un a réussi à s'introduire par un souterrain, lance une voix provenant de l'autre bout de la pièce.

L'homme se lève, jette un bref coup d'œil sur un hublot derrière lequel file un banc de poissons jaunes.

— Nous allons savoir s'il s'agit d'une bestiole issue de la mer ou d'un vilain curieux.

Il se dirige vers le panneau, manipule quelques boutons, puis une image apparaît sur un des écrans qui tapissent le mur.

– Regarde-moi ça, siffle-t-il. Deux poissons à deux jambes qui barbotent dans le bassin. Un garçon et une fille.

– C'est gênant, très gênant, grommelle la voix derrière lui. On ne peut pas les laisser repartir.

– La marée montante les empêche de s'échapper par le tunnel. Allons les cueillir. Mais auparavant…

L'homme tripote des manettes, ouvrant ou fermant les accès aux galeries.

– Voilà, je viens de bloquer certaines portes. Ils ne peuvent suivre qu'une seule direction en sortant de la grotte. Ils vont nous tomber entre les mains.

Il fait signe à son comparse de l'accompagner. Ils quittent le laboratoire et s'engagent dans une galerie souterraine.

Pendant ce temps, Jérôme et Émilie, ruisselants, se sont extirpés du bassin en crachant.

– J'ai froid, grelotte Émilie en se massant les bras.

– Moi aussi. J'ai pu récupérer ton sac, souffle Jérôme en le tendant à sa sœur. Mais j'ai perdu la lampe.

Les jumeaux essorent leurs vêtements.

– Heureusement qu'il n'y avait rien dans l'eau. Tu imagines, si le bassin avait été rempli de méduses ? frémit Émilie.

– Ou s'il servait à l'élevage de requins…

Pourtant, tandis que l'eau s'apaise, un éclat doré attire l'attention des jumeaux. Disséminées à la surface par l'onde de choc, des particules rougeâtres se concentrent, se mêlent, s'entortillent, formant un long ruban.

– Qu'est-ce que c'est ? bredouille Émilie, intriguée. Des algues ?

– Ça bouge, remarque Jérôme. On dirait… on dirait un serpent.

– Filons d'ici avant qu'il sorte de l'eau !

La phrase d'Émilie sonne tel un cri d'alarme. Les jumeaux courent vers une porte métallique.

– Si elle est fermée… commence Jérôme.

Il tire des deux mains sur la poignée, prêt à se heurter à une forte résistance. Or, à sa grande surprise, la porte s'ouvre facilement.

– Vite ! ordonne sa sœur en le poussant dans le couloir souterrain qui s'étire devant eux.

Elle claque la porte dans leur dos, les isolant de la grande tresse rouge qui brasse furieusement l'eau du bassin en émettant des signaux télépathiques : « Mathias… Mathias… Mathias… »

Dans une proche galerie, Mathias lâche brusquement sa brosse et son grattoir pour se prendre la tête à deux mains. « Mathias… Mathias… Mathias… ». Les mots claquent dans son crâne.

– Aïe, aïe, aïe, les mots font mal. Plus Mathias descend sous le Fort, plus les mots font mal. Les mots tapent et tapent dans la tête. Oncle Blaise et tante Médusa doivent laisser Mathias tranquille. Mathias ne veut plus obéir aux méchants, non, non. Et puis Mathias ne peut pas parce que… parce que… problème, problème !

L'appel se poursuit, insistant, frénétique.

– Aïe, aïe, aïe, gémit Mathias en se frappant le front contre les pierres du tunnel.

« Mathias… Mathias… Mathias… »

Jérôme et Émilie remontent la galerie, puis ils empruntent des tunnels éclairés par des plafonniers reliés à des câbles noirs qui serpentent sous la voûte. Des portes et des grilles condamnent parfois l'entrée de boyaux aboutissant à de mystérieux recoins.

– C'est bizarre que les lampes soient allumées, marmonne Jérôme. On dirait qu'on nous trace un chemin.

– Mathias a dû courir derrière son chat et oublier d'éteindre, répond Émilie. Nous allons le surprendre dans la Tour de Verre. C'est là qu'il passe la plupart de son temps.

– À moins qu'il soit dans le laboratoire de Blaise, avance son frère.

Ils parviennent à un croisement de tunnels qui partent dans toutes les directions. Tout à coup Émilie saisit son frère par le bras.

– Tu as entendu ? chuchote-t-elle. On dirait des aboiements.

Jérôme s'arrête, écoute.

– Les chiens ! Ils vont nous bondir dessus pour nous dire bonjour et nous envoyer des décharges urticantes.

– J'ai plutôt l'impression qu'ils sont enfermés.

– D'habitude, se rappelle Jérôme, quand Mathias ne veut pas qu'ils courent partout, il les enferme dans la cour de l'alphabet, pas dans les souterrains.

Ils se dirigent vers les jappements. Ils parviennent à une grande grille derrière laquelle, cloîtrés dans une cellule, Toutou, Chienchien, Cabot et Clébard tournent en rond.

– Ouf ! Ils vont bien, constate Émilie, soulagée.

Les bêtes approchent de la grille.

Cabot, le labrador, agite le tentacule en trompette qui lui sert de queue.

Clébard, le petit bouledogue, fait frétiller les tentacules qui pendent à ses babines.

Le fox-terrier Toutou appuie ses pattes couvertes de ventouses sur les barreaux tandis que Chienchien, le griffon, frotte son pelage urticant contre la grille en réclamant une caresse.

— Ils sont contents de nous voir et veulent nous lécher les mains, lance Jérôme. Si on les touche, on est bons pour une décharge. Pourquoi Mathias les a-t-il enfermés ici ? s'interroge-t-il en secouant le gros cadenas passé dans la chaîne qui bloque la grille.

— Et si ce n'était pas lui ? suggère Émilie.

— Mais qui ?

C'est alors qu'une voix retentit à quelques mètres derrière eux :

— Je vous tiens, mes gaillards !

Des chercheurs d'or

Les jumeaux sursautent. Les chiens se mettent à aboyer, bavant et montrant les crocs. Un homme se dirige vers eux, menaçant.

– Demi-tour ! Vite ! crie Jérôme en pivotant sur ses talons.

Mais une silhouette apparaît au bout du tunnel, leur coupant la route. Les jumeaux s'immobilisent, la peur au ventre, la gorge sèche. Ils se retournent alors vers l'homme qui les talonne.

Celui-ci s'arrête et les toise de la tête aux pieds. C'est un gros gaillard à la tête ronde et au cou épais, le menton orné d'une barbiche et le nez en patate.

– On... on... on vient voir Mathias, bégaie Jérôme.

– Mathias est occupé, leur apprend l'homme en plantant ses poings sur ses hanches.

– Quand on rend visite à quelqu'un, on sonne à sa porte, ajoute son complice, un grand maigre à la face de rat qui vient de remonter la galerie. On n'entre pas chez lui par la cave. Qu'est-ce que vous cherchez ici, tous les deux?

Le ton est froid, tranchant.

– Comment vous appelez-vous? reprend son comparse.

Émilie et Jérôme déclinent leur identité, déclarant qu'ils s'inquiètent au sujet de Mathias et qu'ils sont venus prendre de ses nouvelles.

– Hum, de gentils innocents, en somme, ironise l'individu au visage en pointe.

– Mathias vit seul au Fort, rappelle Émilie. Alors qu'est-ce que vous faites là?

– La gamine est bien curieuse, grogne le bonhomme.

– Elle a le droit de savoir, puisqu'elle et son frère vont nous aider dans notre tâche, décrète l'homme à la barbiche. Moi, je suis le professeur Historius. Et voici mon cousin Fred le Rat. Je pense que vous vous doutez de la raison pour laquelle on l'appelle ainsi.

Les jumeaux regardent le dénommé Fred. Sa face triangulaire, son long nez et ses yeux rapprochés évoquent en effet le petit rongeur.

– Vous allez nous garder ici? s'inquiète Jérôme.

– Le temps de finir un certain travail, dit le professeur Historius. Ce ne devrait plus être très long, vu le nombre de bras dont nous disposons à présent.

– Nos parents savent que nous sommes au Fort, tente Jérôme.

– Oui, c'est bien là le problème, l'interrompt le professeur. Il va falloir mettre les bouchées doubles pour achever de sonder les galeries avant que vos parents ne portent leurs soupçons sur Fort Boyard.

– Je vous répète qu'ils savent où nous sommes, insiste le garçon.

– Je n'en crois rien, assène l'homme. Vos parents n'auraient jamais permis que vous entriez dans le Fort par un souterrain. C'est de l'expédition sauvage, ça ! gronde-t-il en fronçant les sourcils. Cependant, en vous conduisant comme des explorateurs en herbe, vous gagnez un peu de mon estime, confie-t-il en adoucissant sa voix.

– Alors vous allez nous laisser rentrer chez nous ? espère Émilie.

Le professeur Historius balaie ses paroles d'un geste et se tourne vers son complice. Il s'écrie :

– Fred, fais-moi disparaître leur embarcation. Préviens Mathias que, si quelqu'un vient frapper à la porte, il devra certifier que les jeunes sont retournés à terre. S'il refuse ou s'il émet la moindre protestation, rappelle-lui que ma colère retombera sur ses chiens.

– Voilà pourquoi vous les avez enfermés, comprend Jérôme. Pour que Mathias vous obéisse. Pour qu'il ne laisse personne entrer au Fort.

Fred le Rat s'empresse de disparaître dans un couloir puis de remonter vers la porte d'entrée, tandis que son cousin entraîne les jumeaux à sa suite.

– Quand le loueur constatera que nous ne sommes pas rentrés, il avertira les gendarmes, reprend Jérôme. Il nous connaît. Nos parents seront prévenus. Ils…

– Ta-ta-ta-ta ! l'arrête le professeur Historius. Cela prendra au moins un jour ou deux à compter de demain. À ce moment-là, nous aurons trouvé ce que nous cherchons et nous aurons quitté le Fort. Bien malin qui nous dénichera après cela.

– Mais enfin, qu'est-ce que vous cherchez ? demande Émilie.

– Ce qu'on cherche ? Mais le trésor de Napoléon, bien sûr ! Il est dissimulé quelque part dans Fort Boyard.

Les jumeaux échangent un regard surpris.

– Il est fou, murmure Émilie.

– Il est seul, chuchote son frère.

Émilie saisit le message. Elle décroche nonchalamment son sac de l'épaule. Puis elle le projette dans les jambes de l'homme qui pousse un cri de douleur. Jérôme lui décoche un violent coup dans le dos qui le précipite à terre. La seconde d'après, les jumeaux s'enfuient le long de la galerie.

– Il faut... rejoindre... la caverne, ahane Jérôme. Et bloquer la porte... derrière nous.

Sa sœur ne répond pas. Elle songe au serpent rouge qui hante le bassin. Un frisson d'effroi lui glace le dos et lui arrache un hoquet de suffocation.

– Par là ! souffle son frère, la respiration sifflante, en sautant trois marches.

– Tu es sûr ?

– Oui, oui...

Or, pendant que les jumeaux se sauvent à travers les souterrains, le professeur Historius se dépêche de rejoindre le laboratoire de Blaise.

– Courez toujours, petits vauriens, vous ne m'échapperez pas.

Il pénètre en trombe dans la salle, s'installe devant les écrans. Les caméras disposées dans les tunnels lui renvoient l'image de Mathias en train de gratter péniblement les parois. Le professeur fait défiler l'image des galeries jusqu'à découvrir les fugitifs.

– Ils foncent vers l'autre laboratoire, grogne-t-il. Logique. Je vais les obliger à changer de cap. Je vais les diriger… voyons…

Il étudie un circuit lumineux apparu sur un écran.

– Oui, là… Ce sera parfait.

Il pousse un gloussement de satisfaction, relève quelques leviers tout en suivant la course des jumeaux sur ses écrans.

Dans les souterrains, Jérôme et Émilie s'écrasent le nez contre une porte qui était grande ouverte lors de leur premier passage.

– Elle est fermée ! peste Jérôme en s'excitant sur la poignée, le souffle court. Je ne comprends pas.

– On a dû se tromper de couloir, estime sa sœur. On a le temps de faire demi-tour et de prendre un autre tunnel. Historius n'est pas encore en vue.

Ils remontent la galerie et s'engouffrent dans le premier souterrain venu.

– C'est bizarre, s'étonne Émilie en regardant par-dessus son épaule. Il devrait être sur nos talons.

– Il s'essouffle plus vite que nous, répond son frère. Ou il a peut-être perdu notre trace. Mais il ne nous lâchera pas et le Rat peut déboucher de n'importe quel boyau.

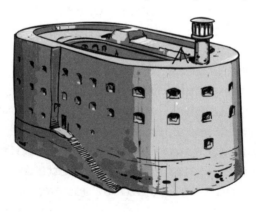

Un peu plus loin, une grille leur interdit d'aller tout droit. Ils s'engagent dans un virage, hésitent ensuite entre deux tunnels. L'un est éclairé, l'autre pas.

– Le chemin était balisé par des lumières tout à l'heure, souffle Émilie en remontant une mèche de cheveux qui danse devant ses yeux.

– Alors prenons celui-ci, halète Jérôme en désignant la voie éclairée.

– J'ai peur qu'on tourne en rond... Je ne sens plus mes jambes... J'ai un point de côté...

Il lui répond avec peine :

– Moi aussi... J'ai du mal à courir...

Jérôme se baisse, pose les mains sur ses genoux et s'accorde quelques secondes de pause pour tenter de calmer les battements de son cœur et reprendre son souffle. Émilie s'adosse contre la paroi, la tête renversée, cherchant à avaler de grandes goulées d'air.

– Je n'entends rien, fait-elle remarquer à son frère. Où est le professeur Historius? Que fait-il?

– Il faut absolument qu'on sorte avant d'être rattrapés.

Ils repartent, la respiration coupée. Parvenus à une fourche, ils s'arrêtent à nouveau pour reprendre haleine.

– Cette fois, nous sommes vraiment perdus, déclare Jérôme. Voilà pourquoi il ne nous suit pas.

Épuisée, Émilie se laisse glisser au sol, dos au mur, puis elle étend ses jambes.

– Mais...

Elle tend le bras.

– Je sens un courant d'air, dit-elle, la voix vibrante. Il y a une issue par là.

Elle se relève, pénètre dans la galerie d'où filtre le léger souffle.

– J'aperçois de la lumière au fond, indique-t-elle à son frère.

Une bouffée d'espoir les pousse en avant. Ils courent. Ils atteignent un virage. Le franchissent en se bousculant presque. Et sont éblouis par un éclat de lumière.

– Oh non ! s'écrie Émilie que sa foulée précipite contre une grille. On est coincés !

Devant eux s'étale la cour centrale de Fort Boyard, la grande cour comportant les lettres de l'alphabet.

Les jumeaux empoignent les barreaux et les secouent de toutes leurs forces. Mais la grille est solidement fixée dans le mur.

– C'est trop bête, déplore Émilie.

Son frère lui pose une main sur l'épaule.

– Viens, dit-il, il faut faire demi-tour et retourner dans la grotte.

Trop tard ! Dans un raclement de ferraille, une herse tombe de la voûte derrière eux. Ses pointes s'encastrent dans des trous, les empêchant de se glisser dessous.

– Prisonniers, balbutie Émilie. Nous sommes prisonniers dans la cage des tigres !

Piégés

Le professeur Historius se tapote le ventre, satisfait. Un grattement le fait se retourner sur son siège. D'abord, il ne voit rien, puis un mouvement furtif – une ombre – se glisse sous un bureau.

– Encore cette satanée bestiole ! grince-t-il. Je me demande vraiment comment elle peut s'échapper à chaque fois des différents endroits où je l'enferme. Je n'ai pas envie qu'elle saute sur le tableau de commande. Dépêchons-nous…

Il se lève, décroche une des blouses qui pendent à une patère et qui appartenaient à Blaise, avance lentement vers le bureau en jetant des « Minou, minou ».

Gédéon fait le gros dos, se hérisse et paraît doubler de volume. Il se met à cracher, toutes griffes dehors, les yeux brillants de colère. Dès que l'homme est près de lui, le chat détale et court vers la porte laissée entrouverte. Mais la blouse s'envole et s'abat sur lui, le bloquant net.

Le professeur Historius l'entortille dans le vêtement, l'attrape et s'apprête à l'enfermer dans le placard à balais quand la porte s'ouvre à la volée. Une voix claque :

– Pas Gédéon, non, non ! Le méchant doit rendre Gédéon à Mathias.

Le Quasimodo s'élance, les mains tendues pour reprendre son chat, mais le professeur empoigne une chaise et la propulse devant lui, brisant son élan.

– Qu'est-ce que tu fiches ici ? Tu devrais être au travail ! Tu as trouvé une abeille ?

– Non, non, pas encore. Mathias veut Gédéon.

– Je te rendrai tes bestioles quand j'aurai mis la main sur le trésor. En attendant, tu as intérêt à obéir si tu ne veux pas qu'il leur arrive des ennuis.

Joignant le geste à la parole, le professeur Historius ouvre le placard, enferme le chat à l'intérieur et enfouit la clé dans sa poche.

– Gédéon, articule Mathias, atterré. Problème, problème.

– Ne t'inquiète pas pour lui. Il mangera les souris et les araignées. Maintenant, retourne dans la galerie !

Le Quasimodo se masse le menton, en proie à la réflexion. Le méchant est planté à un mètre. Rien n'empêche Mathias de lui bondir dessus, de lui ravir la clé et de libérer son chat. L'homme décèle une lueur inquiétante dans les yeux de Mathias, une lueur rebelle qu'il lui faut éteindre à l'instant.

– Fred le Rat va jeter la clé du cadenas dans la mer, prévient-il. Tes chiens seront condamnés à demeurer pour l'éternité dans le ventre de Fort Boyard. Plus de soleil, plus d'air frais. Pour l'éternité, Mathias ! Ce n'est pas ce que tu veux, n'est-ce pas ?

– Non, non. Pas les bons chiens de Mathias, non, non.

Vaincu, Mathias se casse en deux et présente ses paumes en signe de soumission.

– Gédéon, murmure-t-il.

– Plus vite j'aurai mon or, plus vite tu auras ton chat. Tu peux comprendre ça, non ?

À cet instant, Fred le Rat pénètre dans le laboratoire.

– Il y a un problème, commence-t-il, le visage grave. Et c'est gênant, très gênant.

Il attend que Mathias soit sorti pour s'expliquer.

– Je n'ai trouvé aucune barque amarrée au quai. J'ai bien peur que quelqu'un ait amené les deux gosses ici, et qu'il revienne les chercher sous peu. Ils nous ont raconté des bobards.

Le professeur Historius se gratte la tête.

– Hum, ces petits fouineurs n'avaient aucun intérêt à mentir, bien au contraire, dit-il. Je pense qu'ils sont effectivement venus en pédalo, comme ils l'ont affirmé, mais que l'engin s'est détaché et qu'il dérive à présent sur l'eau.

– Mais si quelqu'un trouve le pédalo, il croira que ses occupants se sont noyés et il lancera l'alerte. On risque de voir rappliquer du monde plus tôt que prévu si le loueur dirige les recherches sur le Fort.

– Mathias soutiendra que les jeunes sont repartis. Les sauveteurs concentreront leurs recherches sur la mer, assure le professeur.

Fred le Rat fait la moue, peu convaincu.

– On ne devrait quand même pas trop traîner ici.

– Tu as raison, finit par admettre son cousin. Qui sait comment Mathias peut réagir à la vue d'un uniforme ou s'il est interrogé ? Il faut accélérer les recherches. Allons attraper nos deux petits fauves pour les mettre au travail !

Fatigués de secouer en vain les barreaux qui les retiennent prisonniers, Émilie et Jérôme se sont assis par terre.

– Ton portable ! s'exclame soudain le garçon.

– Il est au fond de mon sac avec ma montre et les gilets de sauvetage. Historius a dû le récupérer.

Soudain, un rond de lumière se dessine sur un mur du tunnel.

– On vient, avertit Émilie. Ils sont deux, ajoute-t-elle en distinguant les silhouettes des cousins.

Le professeur Historius et Fred le Rat avancent jusqu'à la grille.

– Vous voilà enfin calmés, constate le premier, une télécommande à la main.

– Qu'est-ce que vous comptez faire de nous ? s'inquiète Jérôme.

– Vous allez très vite le savoir, répond le professeur.

Il appuie sur un bouton de la télécommande. La grille du tunnel se relève. Fred le Rat contient aussitôt un mouvement de Jérôme qui essaie de se faufiler entre le mur et lui.

– Tout doux, mon garçon, ou tu vas le regretter.

– Si vous êtes sages, je vais vous raconter une histoire pendant que nous retournons dans les galeries, dit le professeur Historius.

– On n'a pas le choix, murmure Émilie entre ses dents.

Et les jumeaux, encadrés par les deux complices, s'enfoncent dans les entrailles du Fort.

Le trésor de Napoléon

– Napoléon Ier a décidé de construire le Fort en 1804, commence le professeur Historius, mais c'est sous l'empereur Napoléon III, son neveu, que le gros des travaux a été réalisé. Ce sont des ouvriers aidés par des soldats et des prisonniers de Rochefort qui ont édifié ce qui allait devenir une nouvelle prison. Un de nos aïeux en faisait partie.

– Drôle de famille, ironise Jérôme, s'attirant une tape sur la tête de la part de Fred qui ne le quitte pas des yeux.

Ils passent le virage et s'engagent dans le long souterrain.

– Et quel est le rapport avec le trésor de Napoléon ? demande Émilie.

L'homme les entraîne dans une galerie qui s'ouvre à leur droite, à présent éclairée par les plafonniers.

– Quand Napoléon Ier a été déporté à Sainte-Hélène, après la défaite de Waterloo en 1815, il a laissé son trésor en France, à la garde de certains de ses fidèles. Ces braves ont remis les coffres à son neveu lorsque celui-ci est devenu empereur à son tour, presque quarante ans[1] plus tard.

– Et alors ? questionne Jérôme.

– Napoléon III avait un grand ennemi : le roi de Prusse. Quand la guerre a éclaté entre la Prusse et la France, l'empereur a jugé prudent de mettre le trésor familial

1. En 1852.

en lieu sûr afin qu'il ne tombe pas entre les mains de l'adversaire.

– Et il l'a caché à Fort Boyard ? lance Émilie, intriguée.

– Exactement ! assène le professeur.

Leur curiosité piquée au vif, les jumeaux attendent la suite de l'histoire. Ils gravissent plusieurs marches et passent une porte avant d'emprunter un autre tunnel.

– Quelques prisonniers ont été choisis pour graver des abeilles sur des pierres dans certaines galeries, poursuit Historius.

– Les abeilles, comme l'aigle, étaient les emblèmes de Napoléon, intervient Fred, fier de placer une précision historique.

– Les captifs ignoraient pourquoi on exigeait d'eux qu'ils taillent des abeilles sur les murs. On leur ordonnait de graver, ils gravaient.

– La piste des abeilles conduisait au trésor ? demande Émilie.

– Conduit, rectifie le professeur Historius, conduit. Car les louis d'or sont toujours là. Napoléon III a perdu la guerre contre la Prusse. Il a été fait prisonnier, son empire s'est écroulé et il s'est exilé en Angleterre où il est mort peu de temps après. Le trésor est alors sorti des mémoires.

– Sauf de la vôtre, rétorque Jérôme.

L'homme se racle la gorge, continue.

– Notre aïeul, qui faisait partie des graveurs, s'est pourtant douté de quelque chose. Il a remarqué qu'il n'y avait toujours qu'un seul prisonnier par couloir et que tout contact entre eux était interdit.

– Dès que ses codétenus et lui ont été libérés, il les a contactés pour savoir quelles galeries avaient été balisées avec les abeilles, suppose Jérôme.

– Hélas non. Il est mort en cellule, comme la plupart de ses compagnons, d'ailleurs.

Émilie pile net.

– Alors comment avez-vous appris…

Une bourrade dans le dos coupe sa respiration.

– Avance ! grogne Fred le Rat.

– À sa mort, les geôliers ont rendu ses affaires personnelles à sa famille, explique le professeur Historius. Oh, il n'y avait pas grand-chose : un oignon – c'est une grosse montre ronde avec un couvercle bombé –, deux mouchoirs brodés et une paire de bésicles. Mais quand, de nombreuses années plus tard, mon grand-père a ouvert la montre par hasard, il a trouvé une lettre minutieusement pliée à l'intérieur.

– Une lettre qui mentionnait le chemin des abeilles, renchérit Fred le Rat. Notre aïeul racontait même que, de la fenêtre de sa cellule, il avait aperçu un bateau impérial amarré contre le Fort. Il y a eu des va-et-vient pendant une partie de la nuit, puis le navire est reparti. Qu'était-il venu faire, à votre avis, sinon apporter les coffres contenant le trésor ?

– Mais votre grand-père n'a pas entamé les recherches ? s'étonne Émilie.

– Non, il ne croyait pas à cette histoire. Il m'en a parlé quand j'étais gosse, d'après lui il s'agissait d'une légende. Il a fallu que je tombe sur cette lettre à l'occasion d'un héritage pour qu'elle ravive mon intérêt.

– *Notre* intérêt, corrige son cousin. Et nous voilà !

Les jumeaux s'apprêtent à s'engager dans la galerie où sont emprisonnés les chiens, mais les hommes les dirigent dans un tunnel voisin. Ils font halte devant une porte métallique et l'ouvrent. Fred le Rat pénètre dans un réduit et en ressort avec, dans une main, deux casques de mineurs munis d'une lampe et, dans l'autre, des brosses et des grattoirs.

– Au travail ! glapit-il en les leur remettant. Nous avons déjà exploré beaucoup de souterrains, seulement il en reste quelques-uns.

– Trouvez les gravures d'abeilles sur les pierres et ne tentez pas de vous sauver, leur conseille le professeur Historius. Sinon je vous injecte un produit qui vous transformera en zombies. Comme les autres !

– Les autres ? répète Émilie. Vous voulez dire que vous retenez d'autres personnes au Fort ?

Des signes
sur les pierres

Le professeur Historius et Fred le Rat échangent un regard complice doublé d'un mauvais sourire.

– Alors c'est vrai, comprend Émilie. Leif et Georgia sont ici. C'est vous qui les avez enlevés ? Mais pourquoi ?

– Pourquoi ? Réfléchis une seconde, cervelle d'oiseau ! s'emporte le professeur. Je ne pouvais pas laisser Ciné-Europa ausculter le Fort pierre par pierre. Un membre de l'équipe aurait découvert le chemin des abeilles.

– Sans compter que nous n'aurions pas su où nous cacher, l'équipe courant partout, appuie Fred le Rat.

– En retenant l'équipe à Rochefort, la gendarmerie fait notre jeu, glousse Historius. Quand Ciné-Europa investira Fort Boyard, nous serons loin.

– Les poches pleines, rit son maigre cousin.

Le professeur Historius arrache les casques des mains des jumeaux, les leur plaque sur la tête et ordonne :

– Voilà pourquoi vous allez vous mettre au travail immédiatement. Chacun d'un côté du tunnel. Vous brossez les pierres et grattez les algues.

– Toute la surface des parois ? s'écrie Jérôme. Il va nous falloir plus d'une semaine !

– Non, le rassure Fred. D'après notre aïeul, les gravures se trouvaient à hauteur de poitrine d'homme, soit sensiblement au niveau de vos épaules. Donc, vous examinez les parois de là à là, précise-t-il en indiquant l'espace avec ses mains. Ne lambinez pas, je vous ai à l'…

Le dernier mot se fond dans une exclamation jaillie derrière eux.

– Bons amis, bons amis !

Tous se retournent. Mathias vient de surgir d'un tunnel adjacent.

– Les méchants ont capturé les bons amis de Mathias. Problème, problème !

Fred le Rat prend un ton menaçant.

– Qui t'a permis de quitter ton couloir ? Où as-tu mis ton casque et tes outils ?

– Mathias va aller gratter le mur, mais c'est l'heure de nourrir Toutou, Chienchien, Clébard et Cabot.

– Il y a plus urgent ! gronde le professeur Historius. Il faut que l'on trouve la piste des abeilles au plus vite.

– Gédéon doit avoir peur dans le placard, poursuit le Quasimodo. Mathias veut caresser Gédéon.

– C'est moi qui vais te caresser les côtes, mugit Fred le Rat en se dirigeant droit sur lui, le poing brandi.

– Ne touchez pas à Mathias ! crie Jérôme. Sinon…

– Sinon quoi, moucheron ? crache Fred en lui adressant un regard de défi.

– Sinon nous refusons de travailler ! déclare Émilie en jetant sa brosse et son grattoir sur le sol.

– Je vais en prendre un pour taper sur l'autre ! fulmine Fred le Rat, empourpré de colère.

– Tout doux, le retient le professeur Historius. Il est vrai que vous méritez une bonne correction, mais je n'aime pas punir les enfants. Mathias et vous êtes amis, n'est-ce pas ? C'est très intéressant. Alors voilà comment je vais procéder : si vous ne m'obéissez pas, je châtierai l'un pour les fautes commises par les autres.

Son cousin émet un ricanement sinistre.

– Mathias nous obéit pour protéger ses chiens, rappelle le professeur. Vous deux, vous allez faire de même pour éviter à Mathias de...

– De tomber du haut des remparts, achève Fred le Rat. Ça le soulagerait définitivement de son mal de tête.

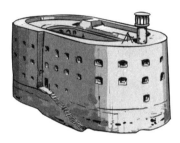

Ses yeux se posent sur Émilie. Des yeux noirs. Durs. Froids comme l'acier. Elle baisse la tête puis ramasse ses outils.

– J'irai jeter leur pitance à tes chiens dès que tu te seras remis à l'ouvrage, annonce-t-il à Mathias.

Le Quasimodo hésite, bredouillant :

– Mathias aimerait aider les bons amis, mais...

Il se tord les doigts d'impuissance, le visage marqué par une moue douloureuse.

– Allez ! crie Fred, le mot claquant comme un coup de fouet.

Mathias s'empresse de disparaître. Les jumeaux sont alors collés chacun devant un mur, dos à dos, leur lampe frontale éclairant les parois.

Les heures tournent. Jérôme et sa sœur n'ont plus aucune notion du temps. Ils brossent. Ils grattent. Ils avalent de la poussière au goût de moisi.

Leurs bras sont lourds et leurs doigts se crispent à force de serrer le manche de la brosse et du grattoir.

À plusieurs reprises, ils ont cru trouver une abeille gravée dans la pierre, mais ce n'était qu'un fossile marin.

– Je suis morte de fatigue, soupire Émilie.

– J'ai faim et soif, grommelle son frère. Il n'y a rien sur ce mur. Je suis sûr que le prisonnier s'est moqué de ses descendants en leur faisant croire qu'il y avait un trésor à Fort Boyard. Le trésor de Napoléon, en plus ! Pourquoi pas celui des Templiers ? Tiens, le Fort pourrait aussi cacher le tombeau d'Alexandre le Grand, de Cléopâtre ou servir de base aux extraterrestres !

Émilie hausse les épaules.

– Tu dis n'importe quoi !

– Je dis n'importe quoi parce que j'en ai assez ! Parce que je suis fatigué ! Parce que... parce que je veux rentrer chez nous !

Il se laisse tomber contre le mur, replie ses jambes contre sa poitrine et appuie sa tête contre ses genoux.

– Ils doivent nous surveiller, le prévient sa sœur. Il y a sans doute des caméras dans tous les coins.

– Ils pourraient travailler, eux aussi, tu ne crois pas ?

– Je suppose qu'ils ont déjà fouillé un grand nombre de souterrains, sinon ils n'espéreraient pas finir bientôt.

Elle le secoue légèrement pour l'inciter à se relever. Pourtant, Jérôme refuse de bouger.

— Pense à Mathias, souffle-t-elle.

— Ils ne lui feront pas de mal. Ils ont besoin de lui.

Des bruits de pas précipités les alertent tout à coup. Jérôme se relève d'un bloc.

— Les voilà déjà ! frémit-il. Ils étaient tout près.

Le professeur Historius apparaît. Seul.

— C'est la pause ! claironne-t-il. Suivez-moi !

Il les conduit dans une grande galerie bordée de cellules. Deux personnes occupent déjà des geôles voisines. L'une est allongée sur une banquette, l'autre est debout, appuyée contre les barreaux.

— C'est Georgia ! glisse Jérôme à sa sœur en la poussant du coude.

— Et l'autre, à côté, c'est Leif le Suédois. On dirait qu'ils sont complètement... (Émilie cherche le mot juste.) éteints.

— Ils se remettent lentement du produit que je leur ai injecté, confie le professeur

Historius en ouvrant une grille. Quand il est temps pour eux de se remettre au travail, je les transforme en braves esclaves dociles.

Comme les jumeaux laissent échapper un hoquet horrifié, il les rassure :

– Oh, ne vous inquiétez pas pour eux. Au bout de deux jours sans injection, ils seront à nouveau en pleine forme et jouiront de toutes leurs capacités. Tels que vous les voyez là, ils se reposent depuis deux heures. Dans un instant, ils retourneront gratter les pierres. Ce sera pareil pour vous. J'alterne le temps de repos et le temps de travail. De la sorte, il y a toujours quelqu'un à l'ouvrage.

Il les pousse dans la cellule et referme derrière eux.

– Vous trouverez à manger et à boire sur la banquette. Et tâchez de dormir un peu. Je viendrai vous chercher plus tard.

– Il n'y a que vous et votre cousin qui vous tournez les pouces, constate Jérôme.

111

– Ne crois pas ça, petit insolent! gronde l'homme. Fred et moi avons aussi exploré les tunnels.

– Et si nous ne trouvons rien? lance Émilie. S'il n'y a pas de trésor dans le Fort?

– Il vaudrait mieux pour vous que cela n'arrive pas! rugit-il en donnant un violent coup de poing sur la grille, faisant tressaillir les quatre prisonniers et déclenchant de furieux jappements à l'extrémité de la galerie.

Dans les geôles
de la forteresse

– Georgia ! Georgia ! appelle Émilie après le départ du professeur.

La jeune femme se tourne vers elle. Une simple grille sépare les deux cellules. Georgia fronce les sourcils, comme si elle avait du mal à reconnaître les jumeaux. C'est d'une voix lente et pâteuse qu'elle articule enfin :

– Ah oui… les jumeaux de Boyardville.

Elle essaie de se souvenir de leurs noms.

– É... Émilie et... Geoffroy...

– Jérôme, corrige le garçon.

– Qu'est-ce que vous faites ici ?

– Nous sommes venus vous chercher, simplifie Émilie.

– Ah, la police arrive ? questionne Leif à deux cellules de là, d'un ton aussi empâté que celui de sa coéquipière.

– Non, avoue Jérôme, nous sommes seuls.

– Tsss, lâche le Suédois en secouant la tête et en s'affaissant un peu plus sur sa banquette.

– Ils veulent qu'on trouve le trésor de Napoléon, reprend Georgia, les yeux dans le vague.

– Ils sont toujours sous l'effet du produit que leur a injecté le professeur Historius, signale Émilie.

– À mon avis, il doit renouveler les doses régulièrement, sinon ils se seraient déjà échappés, renchérit son frère. Bon, pour le moment on ne peut rien faire. Et moi, je meurs de faim.

Ils terminent leurs sandwiches quand le professeur Historius et Fred le Rat entrent dans la geôle de Leif Thorson. Le Suédois leur offre une très légère résistance avant qu'une aiguille s'enfonce dans son avant-bras. Quelques secondes plus tard, il ressort avec eux et attend docilement que les hommes agissent de même avec Georgia.

– Au boulot ! se moque Fred le Rat. Quant à vous, ajoute-t-il en s'adressant aux jumeaux, on viendra vous chercher dans une paire d'heures. Votre nuit, c'est maintenant ! On vous laissera peut-être une petite pièce si vous découvrez le trésor, leur lance-t-il en poussant Leif et Georgia devant lui.

Historius précise alors à son cousin :

– Il faut une personne dans chacun des trois couloirs qui partent de la cage des chiens.

– Mais ils ne sont que deux, fait remarquer Fred le Rat.

– Tu vas gratter, toi aussi. Moi, je rejoins Mathias. Il se roule par terre en se tenant la tête. Je vais l'envoyer se reposer. Quoique… je me demande s'il n'est pas plus malin qu'il ne le laisse paraître et s'il ne feint pas d'avoir mal pour ne pas travailler.

Restés seuls, Jérôme et Émilie s'étendent sur la banquette.

– Je ne réussirai jamais à dormir là-dessus, grommelle Jérôme.

– Pense au travail qui t'attend, soupire sa sœur qui a déjà fermé les paupières. Du coup, la banquette va te sembler moelleuse.

Deux heures plus tard, un raclement de clés sur la grille fait bondir les jumeaux.

– Hein ? Quoi ? bredouille Jérôme, arraché à un mauvais rêve.

Émilie manque tomber de la banquette. Le cœur battant, elle réalise qu'elle se trouve dans une geôle de Fort Boyard.

– Debout les mômes ! ricane Fred le Rat. C'est l'heure. La brosse et le grattoir vous réclament.

Il ouvre la grille.

Les jumeaux se lèvent avec peine et titubent vers la sortie.

– Georgia et Leif ont trouvé une abeille ? l'interroge Émilie.

L'homme se contente de pousser un grognement.

– Toujours rien, traduit Jérôme. Je suis sûr qu'il n'y a pas l'ombre d'un louis d'or dans le Fort.

– Le trésor est là ! beugle l'homme. Vous avez le restant de la nuit et la matinée pour relever sa piste. Après, ça ira vite !

Il les conduit dans un des souterrains et leur remet leurs accessoires.

– Et ne vous endormez pas, leur recom-
mande-t-il. Si vous découvrez une abeille,
criez fort et faites de grands gestes. On vous
entendra ou on vous verra sur les écrans. Y a
toujours mon cousin ou moi dans le laboratoire, ça dépend qui gratte. L'autre n'est
jamais loin des fourmis travailleuses.

Et Fred les quitte pour aller jeter un œil
sur Leif et Georgia.

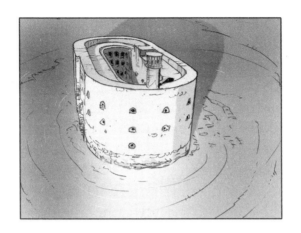

Sur la piste des abeilles

La nuit tourne, faisant se succéder les périodes de sommeil et de labeur.

Les jumeaux travaillent en silence, brossant et grattant une large bande de pierres, les dents serrées, le faisceau de leur lampe dansant devant leurs yeux.

– Des algues ! Des bouts de coquillage ! enrage Jérôme. Et pas trace de trésor ! s'emporte-t-il en donnant de violents coups de grattoir sur un moellon.

Des cris éclatent tout à coup, relayés par des aboiements.

119

– Qu'est-ce qui se passe? sursaute Émilie.

– Fred le Rat est peut-être allé voir s'il y avait une abeille chez les chiens? Et il est ressorti couvert de cloques.

Un bruit de course. Le professeur Historius surgit, essoufflé.

– Venez, vous deux! leur lance-t-il.

– Quoi? Les toutous de Mathias ont piqué le beau Fred? ironise Jérôme.

– La femme a trouvé une abeille. Vous allez travailler avec elle dans la même galerie.

– Alors… c'est vrai, balbutie Émilie, le trésor existe.

L'homme les presse de rejoindre Georgia. Fred le Rat les attend déjà avec Leif Thorson. Tous sont rassemblés dans la galerie quand Mathias arrive après avoir calmé ses chiens, excités par les cris.

Pas de doute, c'est bien une abeille qui figure sur le mur, les pattes antérieures écartées et les ailes entrouvertes.

Un bref silence s'établit dans le souterrain, marquant à la fois l'étonnement des uns et le triomphe des autres.

– Allez, allez ! les houspille le professeur Historius en tapant dans ses mains. Nous sommes sur la bonne voie. Il s'agit maintenant d'en trouver d'autres qui nous guideront droit au trésor. Répartissez-vous dans le souterrain !

Obéissant aux ordres, Leif et Georgia se remettent aussitôt à l'ouvrage. Leurs gestes sont automatiques, saccadés. Ils ne semblent éprouver ni fatigue ni rancœur et s'acquittent de leur tâche forcée comme des robots.

– Bons amis, bons amis, commence Mathias. Gédéon est enfermé dans le placard du laboratoire. Toutou, Chienchien, Cabot et Clébard deviennent fous dans la cage. Damien est venu avec les bons amis de Mathias ? Damien est caché dans l'ombre ?

121

– Ça suffit, les parlotes! intervient Fred le Rat. Toi, tu t'occupes de cette partie du mur. Et vous, les siamois, vous opérez à l'autre bout. Il faut savoir si la piste mène vers l'intérieur du Fort ou vers la mer.

Les jumeaux se remettent à l'ouvrage, imités par Fred le Rat et le professeur qui sont tellement appâtés par les louis d'or qu'ils grattent les pierres avec leurs ongles.

– Si seulement on pouvait se sauver, rumine Jérôme.

– Ce n'est pas une bonne idée. Leif et Georgia sont drogués, ils ne pourront pas nous aider, dit sa sœur. Et Mathias n'arrivera pas à maîtriser deux hommes à la fois.

Les travaux se poursuivent au son mat du grattement sur les pierres.

– Là! s'exclame soudain Fred. Là! Une deuxième abeille!

Son cousin se précipite vers lui. Fred le Rat saute de joie en montrant une boursouflure sur un bloc.

– Tu crois? hésite le professeur Historius d'un ton empreint de déception. C'est un renflement naturel.

– Non, j'ai gratté un peu fort et arraché des détails, mais c'est bien une abeille ! insiste Fred. Là, ce sont ses antennes ! soutient-il en posant le doigt sur deux traits de part et d'autre d'une petite boule. C'est trop symétrique pour relever du hasard.

– Admettons, grogne le professeur.

Il se tourne vers les autres et les hèle.

– Vous n'avez rien trouvé de votre côté ?

Leif et Georgia secouent la tête, les jumeaux répondent que non.

– Pas d'abeille, non, non, répond Mathias à son tour.

Mais les mots reviennent dans la tête de Mathias. Mathias voudrait laisser les mots dehors, mais les mots tapent pour entrer. Les mots entrent. Les mots appellent…

« Mathias… Mathias… Mathias… » Les mots l'appellent toujours.

– Bon, conclut le professeur Historius, ignorant les gémissements du Quasimodo, les abeilles ne se situent que d'un seul côté de la galerie et elles semblent indiquer la direction de la mer.

Il répartit sa troupe le long du couloir, finit par découvrir deux abeilles qui les font bifurquer dans un autre tunnel, celui que les jumeaux ont remonté après leur sortie de la grotte.

– Nous revenons à la caverne, glisse Jérôme à sa sœur. Je te parie qu'on ne trouvera rien. Les prisonniers ont sûrement emporté le trésor à travers le tunnel qu'ils ont creusé.

Émilie ne répond pas. Elle regarde Mathias qui semble souffrir de plus en plus à mesure qu'ils approchent du deuxième laboratoire.

– Je ne suis pas tranquille, souffle-t-elle à son jumeau. Et si ce ruban rouge qui se trémoussait dans le bassin était le gardien du trésor ?

L'excitation grandit chez le professeur Historius et Fred le Rat à chaque fois qu'ils mettent au jour une nouvelle abeille, signe qu'ils suivent la bonne direction. Une ultime abeille est gravée sur le linteau de la porte qui ouvre sur la grotte.

– Le trésor est là derrière ! glapit Fred le Rat comme son cousin sort une télé-commande de sa poche pour déverrouiller l'accès.

Mathias se jette sur lui en hurlant et lui arrache la télécommande des mains.

– Non, non, il ne faut pas ouvrir la porte ! Oncle Blaise et tante Médusa vont casser la tête de Mathias. Problème, problème !

Course-poursuite

Fred le Rat se rue sur le Quasimodo, l'attrape par ses vêtements et le relève sans ménagement. Le professeur Historius récupère sa télécommande.

– Ouf, elle n'est pas cassée, soupire-t-il.

Il la pointe vers la porte et appuie sur un bouton. Émilie agrippe le bras de son frère au moment où la serrure se débloque avec un claquement sec.

– Toi, tu restes avec nous, gronde le professeur en empoignant Mathias par le col.

Fred le Rat est le premier à entrer dans la grotte. Il avise aussitôt le canot amarré au bord du bassin.

– S'il y a un canot pneumatique ici, relève-t-il, c'est qu'il y a une issue. Ça nous évitera de regonfler celui qui nous a amenés au Fort et qu'on a dissimulé sous l'escalier, ajoute-t-il avec un rire.

Émilie ne peut réprimer un frisson et ose à peine regarder le bassin. La forme rouge n'agite plus la surface.

Émilie l'imagine tapie au fond de l'eau, à les épier.

– Je suppose que l'emplacement du trésor est marqué par une abeille, lance le professeur Historius.

– Sans doute une grosse abeille, appuie Fred en insistant sur l'adjectif.

– Alors un dernier effort ! commande son cousin. Après, vous serez libres de monter sur le chemin de ronde et d'agiter les bras pour qu'on vienne vous chercher. Malheureusement, vous risquez d'attendre un peu car j'ai dû jeter vos portables à la mer afin de nous donner le temps de disparaître, complète-t-il d'un ton faussement désolé.

Mathias se met soudain à hurler. Le professeur Historius vient de le pousser dans le laboratoire.

Le Quasimodo le bouscule et se rue vers la porte en se tenant la tête. L'homme n'a que le temps de la condamner avec sa télécommande.

– Oncle Blaise et tante Médusa sont dans le bassin ! halète Mathias. Les mots sont des clous qui traversent la tête de Mathias ! Aïe, aïe, aïe !

– Tout le monde reste ici ! braille le professeur Historius. N'écoutez pas cet idiot, il raconte n'importe quoi ! Examinez plutôt chaque pierre et flanquez ces appareils par terre, que l'on voie ce qu'il y a derrière !

Dès que Leif et Fred le Rat s'attaquent aux machines, arrachant les fils et jetant des panneaux couverts d'écrans sur le sol, le serpent rouge s'affole dans le bassin et projette de violentes éclaboussures. Puis des mots tintent dans la tête du Quasimodo, pareils à des coups frappés sur une cloche de bronze. « Mathias ! Mathias ! Mathias ! Empêche-les de tout détruire ! Retourne dans le laboratoire et abaisse le levier. Tu sais lequel. Obéis, Mathias, obéis ! »

– Aïe, aïe, aïe ! crie Mathias, prostré dans un coin et se tordant de douleur.

Jérôme et Émilie se précipitent vers lui, mais Historius les saisit chacun par une oreille et les sépare du malheureux.

– On ne tirera plus rien de lui, dit-il. Mais vous autres, ajoute-t-il en s'adressant à Georgia et aux jumeaux, au travail !

– Là ! s'écrie soudain la jeune femme qui observe la voûte.

Debout devant le bassin, elle fixe une pierre au plafond, une clé de voûte à la verticale du ruban rouge qui se noue et se dénoue au rythme de ses pulsations.

– Qu'est-ce que c'est que ça ? s'interroge le professeur Historius en approchant et en découvrant un serpent rouge qui passe et repasse contre la margelle. Un remous issu des profondeurs, sans doute, qui rapporte les saletés à la surface.

Comme Georgia désigne la pierre, il lève les yeux.

– Mais... bredouille-t-il, fasciné. C'est une abeille ! La pierre est une abeille ! Une énorme abeille ! Le trésor est là, il est là !

Ses appels regroupent tout le monde autour de lui. Dans le bassin, la nuée rouge s'immobilise. Mathias respire, mais il sait que ce n'est qu'un répit. Blaise et Médusa repasseront à l'attaque. Mathias ne peut plus leur résister. Il doit sortir d'ici, regagner le premier laboratoire et abaisser la manette. D'éclair en éclair, les réactions chimiques se combineront pour rendre leur apparence aux deux savants. Et puis Mathias se dit qu'une fois seul dans le laboratoire, il en profitera pour délivrer Gédéon en défonçant la serrure.

– Problème, problème, rumine-t-il. Mathias doit s'emparer de la boîte à boutons du gros méchant, sinon Mathias est coincé ici. En plus, si Mathias ouvre la porte, les bons amis de Mathias pourront se sauver aussi.

L'air innocent, il s'approche du professeur Historius. Celui-ci est en train d'édifier un monticule sous la voûte à l'aide de panneaux, d'écrans, de caisses métalliques. Les particules rouges se sont amassées dans un coin, telle une énorme flaque d'huile, et attendent, toujours connectées par télépathie au cerveau de Mathias. Quand l'amas branlant s'élève à un mètre de la voûte, le professeur Historius ne laisse à personne d'autre qu'à lui-même l'honneur et la joie de desceller la pierre, dernier obstacle avant de libérer le trésor de Napoléon.

– L'or est juste au-dessus, je le sens, se réjouit-il en grimpant sur l'enchevêtrement, un grattoir à la main.

Il se ravise, s'arrête, plonge la main dans sa poche et extirpe la télécommande.

– À toi! dit-il en la lançant à son cousin. Je ne voudrais pas qu'elle tombe à l'eau et qu'on reste bloqués ici.

Fred la cueille au vol, s'attirant le regard brûlant de Mathias. Le spectacle du professeur Historius, en équilibre sur l'amoncellement, grattant le mortier pour dessertir la pierre de la voûte, donne une idée à Jérôme. Tous les regards étant braqués sur l'homme, il se recule lentement, va ramasser un long tube métallique et revient vers le bassin.

– Elle bouge, elle bouge! clame le professeur Historius.

Lâchant le grattoir, il empoigne la pierre à deux mains et l'ébranle pour l'arracher du plafond.

La pierre pivote, se dévisse. Elle descend d'une dizaine de centimètres, arrachant au professeur des gloussements de victoire. C'est alors que Jérôme passe à l'attaque.

– Sautez sur Fred le Rat ! hurle-t-il en plantant le tube dans l'empilement d'objets, donnant de furieux à-coups pour qu'il s'écroule.

– Au secours ! s'écrie Historius en battant des bras. Je vais tomber !

– Lâche ça, maudit freluquet ! rugit Fred.

Il s'apprête à bondir sur Jérôme mais Émilie le bouscule. Au même moment, Mathias lui saute sur le dos.

– Allez Ciné-Europa ! On se réveille ! crie Émilie en secouant Leif et Georgia.

À cet instant, le professeur Historius bascule en arrière et tombe dans le bassin, soulevant une gerbe d'eau qui éparpille les corpuscules rouges. Mais ils reviennent aussitôt s'enrouler autour de son corps et l'empêchent de remonter sur la margelle.

Mathias toujours accroché à ses épaules, Fred le Rat court vers la porte. Il réussit à désarçonner son adversaire en pivotant sur lui-même, appuie sur un bouton de la télécommande pour ouvrir…

– Au secours! hurle son cousin, paniqué. Un tentacule m'a agrippé! Une bête va m'entraîner au fond!

« C'est fichu, comprend Fred le Rat, mais je reviendrai. » Et il s'enfuit par le souterrain.

– Attrapez celui-là! jette Émilie à Leif et à Georgia en désignant le professeur Historius. Nous nous chargeons de l'autre.

Jérôme et Mathias se sont déjà lancés à la poursuite de Fred le Rat, or ce dernier est rapide et il les distance peu à peu.

– La tête de Mathias va mieux, déclare le Quasimodo. Les mots ont éclaté quand le méchant est tombé dans l'eau. Mais Mathias sait que les mots vont revenir, même si Mathias est loin du bassin d'oncle Blaise et de tante Médusa.

– Qu'est-ce que tu racontes? souffle Jérôme, qui court à ses côtés.

Émilie sur les talons, ils remontent les galeries. Fred le Rat est toujours devant et creuse l'écart qui le sépare de ses poursuivants. Des aboiements hargneux témoignent du passage du fuyard devant la cage des chiens.

– Il va nous échapper, craint Jérôme.

Comme ils arrivent à la hauteur des animaux, Émilie s'arrête.

– Mathias! Jérôme! J'ai une idée. Trouvez une grosse pierre, vite!

Elle cherche sur le sol. Mathias ramasse un énorme caillou.

– Brise le cadenas! lui recommande-t-elle. Nous allons lancer tous les chiens à ses trousses.

– Génial! sourit son frère.

– Mathias est fort ! Mathias est fort ! répète le Quasimodo à chaque coup porté sur le cadenas.

L'anneau cède. Mathias ouvre la grille. Les quatre bestioles viennent sautiller autour de lui et des jumeaux, mais leur maître les envoie à la poursuite de Fred le Rat.

– Courez après le méchant, courez ! leur ordonne-t-il.

Les chiens s'élancent sur les traces de Fred. Leurs jappements résonnent dans le souterrain, puis un hurlement d'effroi clôt la chasse.

– Et voilà, interprète Jérôme. Historius barbote et Fred doit être couvert de pustules.

– Tu as toujours le portable que je t'ai offert ? demande Émilie à Mathias. Nous allons prévenir nos parents et les gendarmes.

– Mathias a caché la petite boîte à musique dans le placard du laboratoire, répond le Quasimodo. Là où est enfermé Gédéon. La clé… euh… elle est dans la poche du gros méchant. Le gros méchant qui est tombé dans le bassin, krrr, krrr, krrr.

Arrestations

Émilie rebrousse chemin pour aller prendre la clé, tandis que son frère et Mathias se dirigent vers les aboiements afin de surveiller Fred le Rat. Lorsqu'elle pénètre dans la grotte, Leif et Georgia tentent de hisser le professeur Historius hors du bassin.

– Impossible de le sortir de là ! s'exclame le Suédois. Une algue rouge s'est empêtrée dans ses pieds.

– C'est une pieuvre ! Un serpent de mer ! s'affole-t-il en roulant des yeux exorbités.

« Blaise et Médusa seraient-ils à l'origine de cette chose rouge qui s'agite dans le bassin ? », songe Émilie en ramassant le tube utilisé par Jérôme.

– Prenez ça et repoussez... l'espèce de monstre qui s'est accroché à lui, propose-t-elle à Leif en lui tendant le tube.

L'homme le saisit et fourrage dans l'eau pour dégager le professeur Historius pendant que Georgia et Émilie essaient de l'extraire du bassin. Un nuage de particules rouges s'étale enfin à la surface, disloqué en multiples filaments pareils à des serpenteaux.

– Ça y est ! s'écrie Georgia comme le professeur est sorti du bassin.

– Donnez-moi la clé du placard ! ordonne Émilie à Historius comme celui-ci se redresse, dégoulinant. Fred le Rat a été capturé, ajoute-t-elle pour prévenir toute résistance de sa part.

Une lueur maligne brille dans le regard de l'homme.

– Ne tentez surtout pas de la jeter dans l'eau, intervient Georgia, sinon vous la rejoindrez et nous vous laisserons tremper dans le bassin au milieu des pieuvres et des serpents de mer.

Émilie constate avec soulagement que les deux coéquipiers ont recouvré leurs esprits. Le professeur Historius plonge la main dans sa poche, extrait la clé et la donne à Émilie.

– Bien, fait-elle. À présent, rejoignez Mathias, Jérôme et Fred le Rat en passant par la galerie des chiens, leur conseille-t-elle. Les jappements vous guideront jusqu'à eux. Moi, je vais récupérer le portable de Mathias dans le laboratoire et appeler la gendarmerie.

Mais le professeur Historius titube et pousse des gémissements.

– Mes pieds ont gonflé, se plaint-il. Je ne supporte plus mes chaussures.

Il se baisse, les retire et laisse échapper une exclamation de stupeur.

– Mes pieds ! Ils... ils sont palmés ! Qu'est-ce qui m'est arrivé ? bredouille-t-il, saisi d'effroi.

Georgia, croyant que le professeur cherche un prétexte pour s'échapper, lui ordonne :

– Ne nous racontez pas d'histoires, avancez !

Et sans tenir compte de ses lamentations, Leif et elle l'empoignent sous les aisselles et l'entraînent hors de la grotte. Seule, Émilie fait une drôle de tête.

« Jérôme et moi sommes tombés dans cette eau, s'inquiète-t-elle. Blaise et Médusa poursuivaient-ils leurs expériences de trans-mutation ici, ce qui expliquerait la présence de toutes ces machines ? Ce bassin est-il un bouillon de culture ? Est-ce qu'on risque d'avoir des palmes, des nageoires ou des tentacules sur le corps ? »

Elle se sépare de ses compagnons dans la galerie, surveillant ses mains pour le cas où elles se couvriraient d'écailles et tâtant ses oreilles, de peur de sentir des ouïes sous ses doigts.

Peu après, Gédéon sur les talons, Émilie retrouve ses amis sur le chemin de ronde. Son premier regard est pour son frère, qu'elle étudie pour savoir s'il n'a pas de ventouses sur le visage ou sur les bras.

– Tout va bien ? s'enquiert-elle.

– Mathias a enfermé les prisonniers dans la cour de l'alphabet, avec les chiens, répond Jérôme. Si tu voyais Fred le Rat ! Il faudrait l'appeler Fred le Monstre marin maintenant. Il est couvert de cloques.

– Toi, ça va ? insiste sa sœur.

– Les chiens ne m'ont pas touché, la rassure-t-il.

– Les gendarmes vont arriver, ajoute-t-elle. J'ai aussi prévenu nos parents.

– Aïe, aïe, aïe, lâche Jérôme. Qu'est-ce qu'on va entendre !

– Vous êtes des héros ! déclare Leif Thorson. J'interviendrai en votre faveur.

– Et soyez sûrs que nous vous réserverons une place de choix dans notre reportage, renchérit Georgia.

– Mathias aussi est un héros ! souligne le Quasimodo. Mathias a sauté sur un méchant. Mathias a cassé le cadenas. Mathias a libéré Toutou, Chienchien, Cabot et Clébard. Mathias a…

– Bien sûr, Mathias, bien sûr, l'arrête Jérôme.

Un appel de sirène retentit sur la mer. Tous se pressent au sommet des remparts pour suivre l'arrivée de la vedette de gendarmerie.

– Mathias va ouvrir la porte ! clame-t-il en courant vers l'escalier en colimaçon.

Un instant plus tard, les gendarmes envahissent Fort Boyard. Leif, Georgia, Jérôme et Émilie les attendent devant la grille qui ferme la grande cour. Le professeur Historius et Fred le Rat sont recroquevillés dans un coin, gardés par les quatre chiens qui grondent et montrent les crocs dès que l'un des deux hommes tente le moindre geste.

Le lieutenant envoie Mathias retenir ses bêtes pendant que les gendarmes s'emparent des deux complices.

– Vos parents vous attendent au port, annonce l'officier aux jumeaux. Ils sont très en colère. Votre grand frère, en revanche, regrette de ne pas avoir vécu cette aventure avec vous. Nous nous reverrons à la gendarmerie.

Au moment de quitter le Fort, Leif Thorson pose ses mains sur les épaules de Jérôme et de sa sœur. Il n'a besoin d'aucune parole pour leur faire comprendre qu'il les remercie du fond du cœur.

La vedette repart, emportant les prisonniers, les deux membres de Ciné-Europa et les jumeaux.

Mathias reste sur le quai, le bras à demi levé en signe d'au revoir.

– À bientôt ! crie-t-il. À bientôt ! Mathias va passer à la télévision, oui, oui. Et peut-être aussi Gédéon, ajoute-t-il à l'adresse de son chat qui se frotte contre ses jambes.

Son sourire se fige tout à coup. Devient une grimace de douleur. Il se met à gémir tandis que les mots sonnent sous son crâne :

« Mathias… Mathias… Mathias… Nous sommes toujours là. »

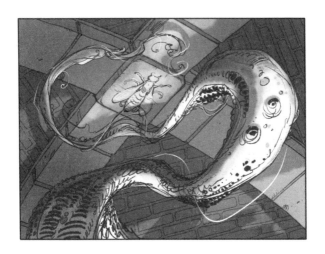

Épilogue

Le lendemain, assis dans le bureau du lieutenant, à la gendarmerie de Rochefort, les jumeaux achèvent de narrer leur aventure dans le détail.

– Quand je pense que vous prétendiez aller chez un ami, soupire leur mère. Ce Fort est devenu mon pire cauchemar.

– Pas pour nous, rétorque Jérôme. Il nous a rendus célèbres.

– Vous êtes privés de sortie pour une durée indéterminée, gronde le père.

– Ne soyez pas trop durs avec eux, les défend l'officier. Ils ont résolu seuls l'affaire.

– Et puis il n'est pas question d'abandonner Mathias, se rebiffe Émilie.

Un silence. Les parents s'agitent sur leur siège, en proie à des sentiments contraires.

– Il vous reste à régler un problème avec le loueur de pédalos, poursuit le lieutenant. L'engin qu'il a prêté à vos enfants dérive quelque part au large des côtes.

– Ciné-Europa a promis une prime aux enfants, confie la mère, nous pourrons l'indemniser…

Jérôme lève soudain le doigt.

– Je peux vous poser une question?

– Je t'en prie, pour une fois que ce n'est pas moi qui en pose, sourit le lieutenant.

– Comment les cousins s'y sont-ils pris pour emmener Leif et Georgia au Fort?

– Après les avoir endormis et dissimulés, l'un derrière des fûts dans un entrepôt délaissé, l'autre dans...

Le lieutenant hésite, se décide tout de même à prononcer :

– ... dans un bac à ordures scellé au moyen d'un cadenas. Le professeur Historius et Fred le Rat sont revenus les chercher à la nuit tombée. Je ne sais pas encore ce qu'ils leur ont injecté, mais les deux victimes les ont suivis de plein gré.

– Leif et Georgia leur obéissaient aussi au Fort, précise Émilie.

– Les deux coéquipiers sont toujours à l'hôpital où ils subissent des analyses. Ils vont bien et ressortiront sous peu, annonce le lieutenant. Quant à Fred le Rat, déjà connu de nos services, son séjour risque d'y être plus long. Son visage et ses bras sont couverts de brûlures comme s'il était tombé au milieu d'un banc de méduses. Lorsqu'il quittera l'hôpital, il sera dirigé tout droit en prison.

– Et le professeur Historius ? questionne Jérôme.

– Il est en examen à l'hôpital. Ses pieds sont, paraît-il, très étranges. Après quoi il regagnera l'établissement psychiatrique d'où il s'est échappé il y a quelques semaines. À l'entendre, c'était pour aller toucher un héritage.

– Un établissement psychiatrique ? s'écrie Émilie. Alors l'histoire du trésor de Napoléon est fausse ?

– Du pur délire, approuve l'officier de gendarmerie.

– Pourtant, on a bien vu les abeilles gravées dans les parois, objecte Jérôme.

– Vous avez cru les voir, le corrige le lieutenant. Vous étiez tellement obnubilés par la recherche du trésor que le moindre relief devenait une gravure.

Les jumeaux se regardent, troublés.

– Mais… protestent-ils à l'unisson.

– Allons, les enfants, les interrompt leur mère. Ne dérangez pas plus longtemps le lieutenant.

– Ces deux cousins étaient aussi fous que les savants qui se trouvaient au Fort avant eux, conclut le père en se levant. À croire que cet endroit attire ce genre d'individus.

Les jumeaux se lèvent à leur tour, saluent le lieutenant et ressortent du commissariat avec leurs parents.

– Ciné-Europa parlera de nous, reprend Jérôme. Leif et Georgia ont promis de nous intégrer à leur reportage. Tu es toujours d'accord, papa ?

– Oui, oui…

– Et nous évoquerons le trésor de Napoléon ! prévient Émilie.

– Oui, oui…

Leurs parents échangent un regard et poussent en même temps un profond soupir.

Une violente tempête court sur la mer. Les vagues montent à l'assaut de Fort Boyard et s'écrasent contre la muraille. Des paquets d'eau balaient le chemin de ronde. Le vent rugit dans l'escalier en colimaçon qui relie les différents niveaux. La pluie s'abat avec force, crépitant telle une nuée de flèches sur les carreaux de la Tour de Verre.

151

Mathias est à l'abri dans le laboratoire de Blaise, avec son chat et ses quatre chiens qui n'attendent que l'instant où Gédéon quittera les genoux de son maître pour lui courir après. La mer frappe contre les hublots, comme si elle voulait entrer, mais le Quasimodo ne lui prête aucune attention. Il a les yeux fixés sur une manette.

– C'est ce levier-là que les mots dans la tête de Mathias demandent d'abaisser. Mais Mathias ne veut pas, non, non. Si Mathias obéit, oncle Blaise et tante Médusa reviendront.

Il réfléchit, prend tout à coup un air inspiré et lève l'index.

– Mathias sait, glousse le Quasimodo. Mathias va casser le levier. Comme ça, Mathias ne risquera pas d'obéir aux mots qui claquent dans la tête.

Il se lève, empoigne la manette à deux mains et tire de toutes ses forces pour l'arracher. Connectés à son cerveau, Blaise et Médusa réagissent immédiatement. Les mots l'assaillent. Violents. Martelés par des pensées furieuses.

« Non, Mathias… Non, Mathias… Non, Mathias… Enclenche le levier, Mathias ! »

– Aïe ! crie Mathias, le cerveau percé par une souffrance aiguë.

Il hoquette, se sent pris de vertige mais il continue de se battre avec le levier. Les pensées conjuguées de Blaise et de Médusa lancent des ordres-panique, lui broyant la tête dans un étau.

– Aïe, aïe, aïe, Mathias a mal. Le crâne de Mathias va exploser. Mathias…

Le levier lui échappe. Arc-bouté sur le tableau de commande, il perd l'équilibre, tombe en avant… et enfonce un bouton.

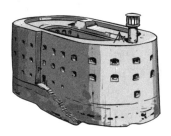

Dans la grotte souterraine, là où le serpent rouge ondule de colère, un panneau rocheux se soulève. La mer s'engouffre aussitôt à l'intérieur en torrents bardés d'écume. Les machines sont soulevées, fracassées, emportées, traînant des câbles pareils à des tentacules noirs. Les vagues traversent le laboratoire et remontent dans les galeries par la porte laissée ouverte. Le bassin est submergé. Le serpent tente de garder ses particules unies, que les flots rugissants disloquent.

Le canot pneumatique a déjà filé par l'ouverture, malmené par les vagues qui le drossent et le déchirent sur les rochers. La mer bondit jusqu'à la voûte, cherchant à saper les assises de Fort Boyard.

La pierre descellée par le professeur Historius est secouée, fouettée, griffée. Elle tressaute dans son alvéole. Et brusquement se décroche. Une cascade de pièces d'or se déverse alors dans le bassin. Les louis n'en finissent pas de pleuvoir, immédiatement charriés au-dehors par les vagues.

Les dernières molécules de Blaise et de Médusa, mêlées au trésor de Napoléon, sont entraînées hors de la grotte dans l'océan, dispersées à jamais dans l'immensité et le fracas des tempêtes.

Dans le laboratoire de Blaise, le Quasimodo arbore un sourire rayonnant.

– Mathias va bien. Oh oui, Mathias va beaucoup mieux. Les voix se sont tues dans la tête de Mathias et... et...

Il montre à ses animaux le levier qu'il vient d'arracher.

– ... oncle Blaise et tante Médusa ne reviendront plus embêter Mathias et les bons amis de Mathias. Non, non. Krrr, krrr, krrr.

Des jours plus tard, alors qu'ils se promènent sur la plage, les jumeaux sont attirés par un éclat dans le sable.

Ils s'approchent. Émilie se baisse.

– Ça alors ! s'exclame-t-elle en ramassant l'objet. C'est une pièce d'or !

Ils l'examinent.

– Regarde les inscriptions et la date ! lance Jérôme, tout excité. C'est un louis d'or ! Il date de Napoléon Ier !

– De Napoléon Ier ? répète Émilie. Mais alors…

Ils se tournent vers Fort Boyard qui, à cet instant, brille sous le soleil comme s'il était recouvert d'une pellicule dorée…

TABLE DES MATIÈRES

Des voix à Fort Boyard 9

Un reportage 19

Inquiétante disparition 27

Une journaliste déterminée 33

Par le passage secret 41

Un indice 49

Dans les souterrains 59

Un mystérieux laboratoire 67

Des chercheurs d'or 77

Piégés 89

Le trésor de Napoléon 97

Des signes sur les pierres 103

Dans les geôles de la forteresse 113

Sur la piste des abeilles 119

Course-poursuite 127

Arrestations 139

Épilogue 147

☁ L'AUTEUR

Né à Metz en 1948, **Alain Surget** a très vite compris que voyager dans sa tête lui permettait d'aller aussi loin que par le train ou l'avion. Et avec moins de risques. Alors il n'hésite pas à traverser monts et forêts pour aller se frotter aux loups et aux sorcières.

Voyageant aussi dans le temps, on le retrouve au fond des pyramides, sur la piste du Colisée et sur le pont des navires pirates.

Pourtant, il lui arrive également de se déplacer réellement pour se porter à la rencontre de son public.

Alain Surget vit actuellement dans les Hautes-Alpes, au pays des loups.

☁ L'ILLUSTRATEUR

Né en 1961, **Jean-Luc Serrano** s'aperçoit vite qu'il aime raconter des histoires en images. Il se lance avec enthousiasme dans la bande dessinée et illustre la série *Taï Dor* durant quelques années avant de partir aux États-Unis, où il travaille sur les films d'animation d'un grand studio de Los Angeles.

Revenu en France, c'est avec le même enthousiasme qu'il met en images albums, romans, films d'animation.

Retrouvez la collection

RAGEOT *Romans*

sur le site www.rageot.fr

RAGEOT s'engage pour l'environnement en réduisant l'empreinte carbone de ses livres. Celle de cet exemplaire est de : **620 g éq. CO_2** Rendez-vous sur www.rageot-durable.fr

PAPIER À BASE DE FIBRES CERTIFIÉES

Achevé d'imprimer en France en septembre 2019
sur les presses de l'imprimerie Jouve, Mayenne
Dépôt légal : mars 2017
N° d'édition : 5467 - 06
N° d'impression : 2919819L